図解 即 戦力

オールカラーの豊富な図解と
丁寧な解説でわかりやすい!

金融のしくみが

しっかりわかる

これ
1冊で

教科書 改訂2版

伊藤亮太
Ryota Ito

技術評論社

ご注意：ご購入・ご利用の前に必ずお読みください

はじめに

　金融と聞くと、「難しそう……」と思う人も少なくありません。ですが、私たちの生活において、預貯金をはじめ金融に関連するものは多く存在し、むしろ必要不可欠なしくみが金融なのです。

　2020年以降、コロナショックにより、経済、金融は大きく影響を受けました。生活様式の変化はお金の流れを止め、企業は倒産、廃業に追い込まれるケースもありました。ですが2023年以降、ようやく自由が戻りはじめ、経済も平常化しつつあります。本書は、こうした金融について、一般の人や大学生、高校生においても、できるだけわかりやすく示しています。

　金融の基本から、金融と経済の動き、金融政策といった「今起きていること」、「今後起こり得ること」を中心に解説を行うとともに、金融機関の種類と役割、株式や投資信託など金融商品のしくみについても解説しています。

　また、金融の近未来についても解説し、金融がより身近な存在となることを指摘しています。実生活でも役立てられるような内容を盛り込みつつ、できるだけわかりやすい内容にするよう心がけました。

　高校生や大学生の皆さんにおいては、少し踏み込みづらいかもしれない金融の世界を知る第一歩として利用していただくとよいでしょう。

　さらに金融に興味を持たれた人は、専門書などで深掘りしていくとよりそのしくみを理解できるようになります。一般教養として、またステップアップへの準備運動として、本書を活用していただければ幸いです。

　あわせて『図解即戦力 金融業界のしくみとビジネスがこれ一冊でしっかりわかる教科書［改訂2版］』（技術評論社）をお読みいただくと、金融業界についても詳しく知ることができます。是非、どちらも手に取っていただき、金融および金融業界をある程度理解したうえで就職活動などにもご活用いただければ幸いです。

2023年12月

伊藤　亮太

CONTENTS

Chapter 1

金融の基本

Chapter 2

「市場」と「金利」

Chapter 3

金融と経済

Chapter 4

金融政策と規制

Chapter 5

金融機関の種類と役割

Chapter 6

株・投資信託のしくみ

Chapter 7

為替のしくみ

Chapter 8

債券のしくみ

Chapter 9

高度化する金融

Chapter 10

変わる金融の近未来

第 1 章

金融の基本

金融とは、お金が余っているところから足りないところに、お金を融通するしくみです。このしくみがなければ経済は回らず、活性化していきません。本章では、金融を理解するための基本的な知識について解説していきます。

Chapter1

01

金融とはお金を融通するしくみ

金融とは、お金が流れるしくみを指します。具体的には、お金が余っている、もしくは今は使う必要がない人から、お金が必要な人へ資金を貸したり、投資したりすることが該当します。金融は経済に必要不可欠です。

金融は経済の潤滑油である

金融と聞いて皆さんはなにを思い浮かべますか？ お金そのものを思い浮かべる人もいれば、お金がぐるぐる回って使われていくイメージを持つ人もいると思います。銀行などの金融機関を思い浮かべる人もいるかもしれません。

金融とは、お金が流れるしくみ自体を指します。世の中では、お金が余っている人（お金の貸し手）から、お金が不足している人（お金の借り手）に資金を移動させることで、お金を循環させています。このしくみが「金融」です。

お金を借りた人は、新しい事業の展開ができたり、従業員の給料を支払ったり、機械などの設備投資ができます。

もし金融がなかったら、必要なところに資金が行き渡らず、経済が活性化しないことが想像できますよね。金融によって社会で必要とするところにお金が使われているのです。

「金は天下の回り物」という言葉があります。お金は1カ所に滞留するのではなく使われて初めて意味があり、人を巡ってまたいつか自分に戻ってくるものです。

金融機関は、お金を動かす役割を担っている

お金が必要な人へ資金を行き渡らせる役割を果たしているものの1つが銀行などの金融機関です。私たち個人がお金を貸す、投資するといっても、1人でできる範囲はたかが知れています。ですが、多くの人が銀行にお金を預ければ、集まった大きなお金が動きます。銀行や信用金庫といった金融機関は、まとまったお金を貸すことで経済を活性化させる大きな役割を担っています。

設備投資
会社が事業を継続、拡大するために、必要な機械や建物などに投資を行うこと。日本全体では国内総生産（GDP、P.68参照）の1割以上を占め、個人消費とともに景気に大きく影響を与える経済指標の1つでもある。

金融機関
金融取引に関する業務を営む組織。広義では保険会社や証券会社、消費者金融などのノンバンクを含んで捉える場合もある（P.100参照）。

信用金庫
地域密着の金融機関（P.110参照）。

▷ 金融で経済が活性化する

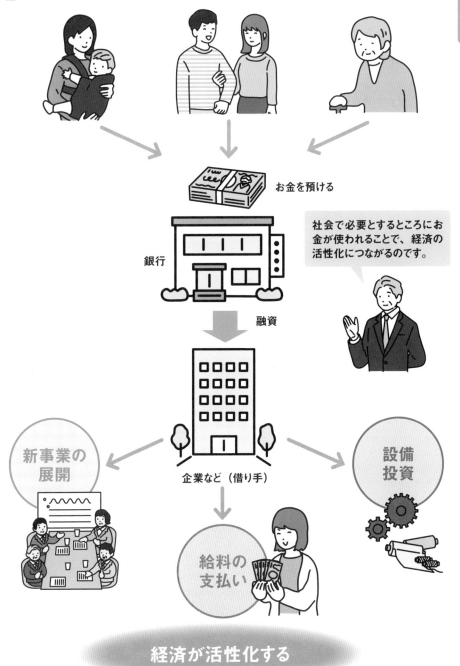

お金を預ける

銀行

社会で必要とするところにお金が使われることで、経済の活性化につながるのです。

融資

企業など（借り手）

新事業の展開

給料の支払い

設備投資

経済が活性化する

お金の定義と３つの機能

お金には３つの機能があるといわれています。「価値貯蔵」「価値交換」「価値尺度」です。これら３つの機能を果たせるのがお金であり、お金をもとに好きなモノが買え、日々の生活を豊かにすることができるのです。

▶ お金は中国で生まれた

お金の起源は古代中国の子安貝（こやすがい）にあるといわれており、現在でも貝という字は、貯、財、貨、買……など、お金に関連した漢字に使われています。

▶ お金の３つの機能「価値貯蔵」「価値交換」「価値尺度」

お金には３つの機能があるといわれています。

１つめは、「価値貯蔵機能」です。消費の期限がなく価値を保つことができる機能です。500円玉などの硬貨は錆（さ）びることはあっても腐りませんよね。肉となにかを交換したいと思っても、肉が腐ってしまっては無価値になります。お金は価値を保つことができるため、いつでも利用できる点にメリットがあります。

２つめは、「価値交換機能」です。100円の価値のものは100円を出せば購入できます。これにより、物々交換で、自分が持っているものを欲しがる人を探す必要がなくなりました。モノとの交換をスムーズにしてくれるのです。

３つめは、「価値尺度機能」です。あらゆる商品は、日本円や米ドルなど、お金の単位でいくらの価値があるのかを量ることができます。なにが高価なものなのか、なにが安いのかは金額を見ることで判断できます。

こうした３つの機能を果たしてくれるからこそ、お金ができ、物々交換から貨幣経済へと発展したのです。今では当たり前のようにお金を使っていますが、お金は昔の人の知恵から生まれたものといえるでしょう。

貨幣経済
貨幣をもとにモノと交換したり、給料が支払われる経済体制。

▶「価値貯蔵」「価値交換」「価値尺度」とは

1. 価値貯蔵機能

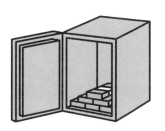

お金は保管することが可能であるという機能。

2. 価値交換機能

いつでも欲しいときに交換可能であるという機能（決済機能）。

3. 価値尺度機能

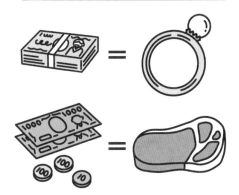

その「物」がいくらであるのか、お金を通して価値がわかる。

この3つの機能をもとに、貨幣経済は成り立っています。

👉 ONE POINT

日本最古の貨幣は富本銭

日本の古いお金として有名なのは富本銭や和同開珎です。富本銭は683年頃に作られた銅銭で、中国の唐の通貨「開元通宝」をモデルにした日本最古の貨幣です。和同開珎は708年に作られました。しかし、日本で本格的に貨幣制度が統一されはじめたのは江戸時代に入ってからだといわれています。

Chapter1 03

お金の価値とは信用のこと

一万円札を見て、誰もが一万円の価値があると思うのは紙幣の価値を信用しているからです。ただの紙切れと思ってしまえば無価値ですが、日本銀行が価値を保証することでお金としての役割を果たしています。

信用がなくなればただの紙切れに

一万円札を出せば、いろいろなモノを購入することができます。ふだんは気にしないで使っているかもしれませんが、単に一万円と印刷してある紙を、なぜ一万円の価値があると皆さんは信じているのでしょうか。

紙幣には日本銀行券、硬貨には日本国と記載されています。つまり、紙幣は日本銀行が、硬貨は政府が発行しています。この二者が価値のお墨付きを与え、それを皆さんが信用して取引に利用することで貨幣経済は成り立っています。言い換えれば、日本銀行、政府を信用しているからこそ円という通貨の価値を保つことができるわけです。

万一、日本銀行に不信感が芽生えるような事態が生じた場合には、紙幣の価値が下がったり、紙切れになる可能性がないわけではありません。そうした事態にならないように、日本銀行では、通貨価値の安定（物価の安定）を1つの大きな使命とし、金融の側面から日本経済を支えています。

以前は兌換紙幣だった

現在のような紙幣が出てくる前は、兌換紙幣といって金貨や銀貨といつでも交換ができる紙幣が使われていました。明治時代の紙幣などを貨幣博物館等で見る機会があったら、是非確認してみてください。紙幣に「金貨○円と交換できる」といった文章が印刷されています。ただし、金貨や銀貨は無限にあるわけではないため、発行できる紙幣の量も限られてしまうデメリットがあります。

現在は兌換紙幣ではなく、金融政策で通貨の量をコントロールしています。これは経済の安定にもつながっています。

通貨価値
購買力から見た貨幣の価値。通貨価値は、各国の経済状況により変動する。

兌換紙幣
兌換とは正貨と交換できること。紙幣の価値が安定し信用が高まるので、人びとは安心して紙幣を利用することができる。

貨幣博物館
日本銀行本店の向かいにあり、古代から現代に至るまでのお金にまつわるさまざまな歴史を学ぶことができる。

金融政策
各国・地域の中央銀行が行う、金融面からの経済政策。物価や通貨価値の安定を図るために、政策金利や市場に供給する通貨量をコントロールする。景気の調整を図るための政策としても利用されている（P.86参照）。

▶ 信用があればなんでも「お金」になる

[日本のお金は円]

日本銀行券と記載がある

日本国と記載がある

[アメリカのお金はドル]

The United States of America と記載がある

\お墨付き/
日本銀行と政府が発行

\お墨付き/
中央銀行にあたる FRB が発行

[暗号資産もお金]

物理的な価値の裏付けはない

つまり……

\お墨付き/
皆が欲しがる気持ちが価値となっている

皆がお金と思えばなんでもお金になる

お金の価値は人びとの信用で成り立っています。信用がなくなれば、お金の価値は下がり、ただの紙切れになることもあり得るのです。

Chapter1
04

経済を動かすのは「家計」「企業」「政府」の３つ

お金を使い、経済を動かしているもの。それは大きく分けて３つの主体、「家計」「企業」「政府」です。これらは密接に関連し合い、それぞれが役割を果たすことで経済が動いています。

お金は循環し、経済を動かす

国の経済を見ていくうえで、経済を動かす主体は誰でしょうか。社会には主に３つの経済主体があります。それは「家計」「企業」「政府」です。

家計とは、私たち個人や家庭全体を指します。家計の経済活動には、モノを買う、そのお金を働いて稼ぐ、そのいくらかを所得税などの税金や社会保険料として政府（国または地方公共団体、以下同じ）に支払うことがあります。

企業の経済活動は、人を雇い、モノやサービスを提供することでお金を稼ぎます。稼いだお金から給料や家賃などを支払うほか、法人税などの税金を政府に支払います。

政府は、徴収した税金をもとに、道路などの整備や社会保障といった公共サービスの提供を行っています。

このように、３つの主体が密接に関連しながらお金を循環させることで、経済がうまく動いているのです。

経済は３つの市場で構成される

３つの主体が動かす経済は財市場、貨幣市場、労働市場の３つから構成されています。財市場とは、家計と企業のあいだで行われるモノやサービスの取引です。財の取引にはお金が必要ですので、背景となる貨幣市場が欠かせません。

貨幣市場とは、貨幣の貸し借りをする市場です。例えば、給料として企業から家計へ振り込まれたお金は、いくらかは財に消費され、いくらかは貯蓄に回されます。貯蓄されたお金は、金融機関を経由して貸出に回されます。企業への融資のほか、家計が家を買うときに借りる住宅ローンも貨幣市場の例です。

所得税
個人が稼いだ所得に対してかかる税金。所得税の税率は、5〜45％の7段階に区分され、所得が多ければ多いほど課税される税率も上がっていく累進課税となっている。

社会保険料
医療、年金、介護、雇用、労災という5つの社会保険にかかる保険料のこと。

法人税
法人が稼いだ所得をもとに課税される税金。法人税は、原則として23.2％（資本金1億円以下の法人で年800万円以下の所得には15％または19％）が課税される。法人には、法人住民税、法人事業税の課税もある。

▶ 3つの経済主体と3つの市場

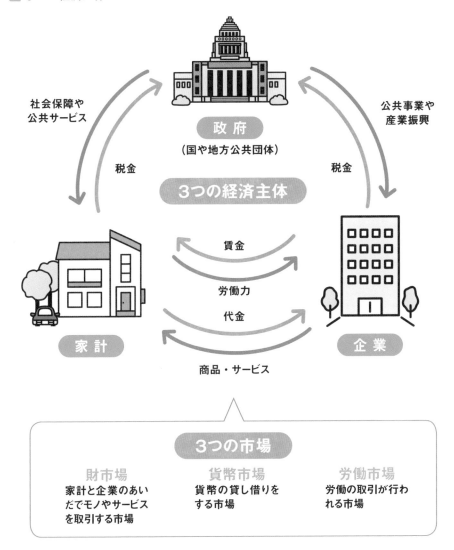

労働市場とは、企業が労働者を雇用し、労働の対価として賃金を支払うことです。財市場も貨幣市場も、労働市場が価値を生み出すことで回っています。

　いずれもスーパーマーケットのような市場があるわけではなく、動き全体を市場といいます。経済を回す3つの市場はつながっていますが、このうち貨幣市場がすなわち金融です。

Chapter1
05

間接金融と直接金融で
経済は活性化されている

皆さんは、どんな目的で銀行を利用していますか？ 預金のためという人が多いでしょう。銀行に預金すると付く利息をどうやって銀行は生み出しているのでしょうか。銀行の事業を知れば、社会的な役割がわかります。

間接金融でお金はぐるぐる回っている

利子と利息
利息は貸したお金に対して受け取る手数料のこと。利子は借りたお金に対して支払う手数料のこと。支払う側では利子といい、受け取る側では利息と呼ぶ。金利は借りたお金に対する利子の割合を指す。

私たちが銀行や信用金庫などの金融機関にお金を預けると、金融機関はそれをもとに企業への融資などの貸出に回し、利子を受け取ります。その一部が私たちの預金の利息になっています。つまり、私たちは銀行を通じて間接的に企業への融資をしていると考えることもできます。

このように、金融機関を通じてお金を融通する方法のことを「間接金融」といいます。金融機関は、個人にはないプロの目線で貸出先を審査し、貸し倒れのリスクをできるだけ減らして利子を稼ぎます。そこから預金者である私たちは安全に利息を得られるのです。

間接金融
資金を供給する側と資金を必要とする側のあいだに金融機関が入り、金融機関の審査をもとにお金が融資されるしくみ。

信用創造により預金通貨が何倍にも膨らむ

銀行は、預金すべてを貸し出すことができるわけではなく、支払準備金として一部を手元に残します。貸し出されたお金は、設備投資などの支払いに使われ、支払われた先でまた金融機関に預けられて預金となります。この預金がまた融資に利用されます。これが繰り返されると、最初の預金額の何倍もの預金通貨を作り出すことができます。このしくみを信用創造といいます（P.102参照）。間接金融が持つこのしくみによって、多くのお金が世の中に出回り、経済活性化をもたらしています。

支払準備金
金融機関では、いつでも預金者が預金を引き出せるように、預金の一定割合を支払準備金として保有しなければならないことになっている。支払準備金以外の預金は貸出に回すことが可能。

これに対して、金融機関があいだに入らず、資金調達したい人に直接お金を融通するしくみを「直接金融」といいます。直接金融を担う代表的な組織が証券会社で、資金を欲する人と資金を貸したい人を仲介する役割をしています。株式発行や債券発行により両者をつなぎ、その手数料を事業収入としています。

直接金融
資金を必要とする側が、資金を供給する側から直接資金を調達する方法。

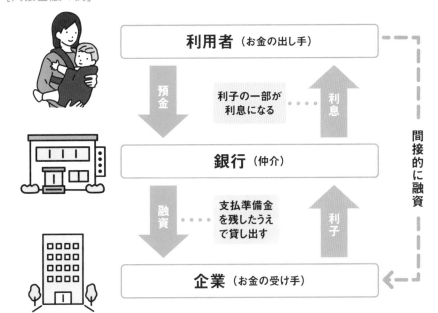
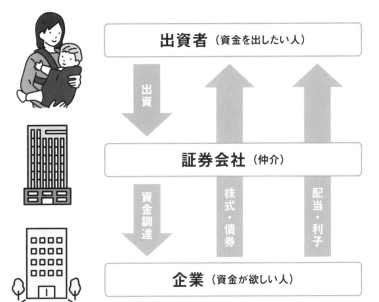

▶ 直接金融と間接金融の違い

［間接金融の例］

利用者（お金の出し手）

預金

利子の一部が利息になる

利息

銀行（仲介）

融資

支払準備金を残したうえで貸し出す

利子

企業（お金の受け手）

間接的に融資

［直接金融の例］

出資者（資金を出したい人）

出資

証券会社（仲介）

資金調達

株式・債券

配当・利子

企業（資金が欲しい人）

金融市場ではさまざまな金融商品の取引が行われる

預金、株式、投資信託、債券、金、FX……。こうした金融商品は、金融市場で取引が行われています。金融機関の窓口で購入するものもあれば、取引所を経由して売買するものもあり、さまざまな方式で取引されています。

商品によって売買する場所が異なる

世の中には、さまざまな金融商品が存在します。私たちが銀行に預ける預金も立派な金融商品です。ほかに株式や投資信託、債券、金、FXなどがあります。ITの進歩により、ここ20〜30年で個人でも多くの商品を取引できるようになりました。

金融商品の取引場所は商品により異なります。預金は銀行、投資信託や債券は銀行や証券会社（社債等は証券会社のみ）、株式は証券会社です。

いずれも窓口だけでなくインターネットでも取引ができます。証券会社は仲介するだけで、実際の売買は、株式は証券取引所で、債券は原則売り手と買い手のあいだで行われます。

金は、現物として貴金属店で購入するほか、投資信託などでも間接的に購入可能です。FXは、証券会社やFX会社で取引しますが、投資対象の外国通貨を実際に売買する市場は外国為替市場です（P.46参照）。

株式のように売買できる時間が決まっているものもあれば、FXのようにほぼ一日中取引できるものもあります。

金融商品の基本は預金・株式・債券

紹介してきたうち基本となる金融商品は、昔から存在する預金、株式、債券の3つです。流動性、収益性、安全性の3つの側面ですべてが完璧な金融商品はまだありません。

それぞれの金融商品のデメリットを補完したり、リスク回避のために、各金融商品から派生して高度な金融商品が作られており、今後も生まれてくるでしょう。

FX
預けた証拠金をもとに、通貨を売買する取引（P.164参照）。

流動性
取引量が多く、いつでも売買可能な金融商品は「流動性が高い」という。取引量が少なく、売りたくてもなかなか売れない場合を「流動性が低い」という。

収益性
大きな収益を得ることができる場合を「収益性が高い」という。収益性が高い金融商品は、市場動向によっては大きな損失を被る場合もある。

安全性
元本（預けたお金）が目減りする可能性があるかないかどうかの度合いのこと。例えば元本1,000万円とその利子までは保護されることになっている預貯金は安全性は高い。

▶ 金融商品による売買の形式

投資信託・債券

銀行・証券会社の窓口、インターネット

株式

証券会社の窓口、インターネット

預金

銀行・ATM、インターネット

金

貴金属店、投資信託

FX

証券会社、FX会社、インターネット

▶ 流動性、収益性、安全性とは

流動性		収益性		安全性	
高い	低い	高い	低い	高い	低い

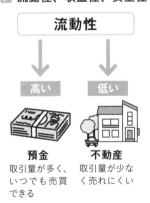
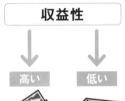

預金	**不動産**	**株式**	**預金**	**預金**	**株式**
取引量が多く、いつでも売買できる	取引量が少なく売れにくい	大きな収益を得られる	大きな収益を得られない	元本が目減りする可能性があまりない	元本が目減りする可能性がある

▶ 預貯金・債券・株式のリスク・リターンの関係

Chapter1 07

インフレとデフレってなに？

インフレとは、物価が上がる現象を指します。一方、デフレとは物価が下がる現象を指します。世界を見渡せば緩やかなインフレ傾向があるものの、日本はこれまで、長いあいだデフレに苦しんできた経緯があります。

📍 デフレは景気悪化のスパイラルを呼ぶ

インフレ（インフレーション）とは、物価が上がる現象を指します。例えば、東京ディズニーランドのチケットは、開園当初の1983年に3,900円だったのが2023年には10,900円です。チケット代に限らず、世の中にある商品やサービスの価格が全般的に上がっていく状況がインフレです。

一方、デフレ（デフレーション）とは、物価が下がる現象を指します。商品やサービスの価格が全般的に下がっていく状況がデフレです。

インフレは、貨幣の価値が下がることと同じです。同じ1万円を持っていても、物価が上がると買える商品は少なくなります。逆に、デフレでは多くの商品を買えるようになり、貨幣価値が上がります。

家計としては、価格が下がるデフレのほうがお得に感じます。しかし、デフレが起こる背景には景気の悪化があります。モノが売れなくなると、企業は値段を下げてでも販売しようとします。当然、売上が減り、利益も減ります。その影響で従業員の給料が減ると、家計は節約をします。ますますモノは売れなくなり、企業はまた値段を下げざるを得なくなります。この負のサイクルをデフレスパイラルと呼んでいます。

📍 景気をよくするためには適度なインフレが必要

日本銀行は、デフレ脱却を図り、インフレ率を2%とする目標を定め、金融政策を実行しています。適度なインフレは景気をよくします。給料も上がれば、購買欲も高まります。最も望ましいのは、物価上昇率よりも賃金上昇率のほうが高くなる状態です。

デフレスパイラル
デフレがデフレを引き起こし経済が縮小していく悪循環のこと。日本では1990年代からの「失われた30年」が該当する。

インフレ率
物価上昇率。日本では、総務省が公表する消費者物価指数をもとに基準となるインフレ率が示される。ベネズエラでは2018年のインフレ率（対前年比）が65,374.08%となるハイパーインフレが発生した。

賃金上昇率
賃金がどの程度上昇したかを示すもの。名目と実質ベースがあり、実質は物価変動を考慮したもの。

▶ インフレとデフレの違い

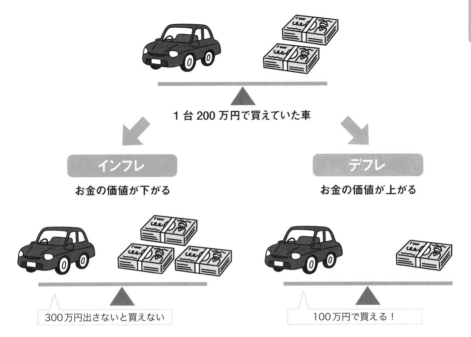

▶ 日本のインフレ率の推移（1980〜2022年）

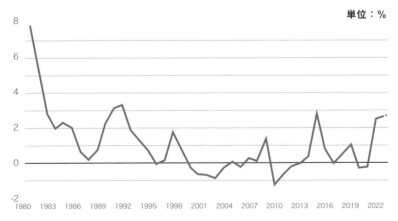

収入がモノの値段以上に上がれば、人びとの生活はより豊かになります。そのために日本はいま官民一体で取り組んでいるのです。

Chapter1 08

経済を安定させているのは中央銀行

中央銀行は国家や特定の地域の金融システムの中核となる機関です。その国や地域で利用される通貨（紙幣）を発行する「発券銀行」であり、物価（通貨価値）の安定を図る役割を担うため「通貨の番人」とも呼ばれます。

📍 通貨価値の安定と金融システムの安定維持を重要視する

中央銀行
P.82参照。アメリカには中央銀行に相当する機関であるFRB（連邦準備制度理事会）があり、FRBが統括する連邦準備銀行が全米12地区に置かれている。

中央銀行は各国に1つ存在します。ユーロ圏には、各国の中央銀行とは別に、地域全体の金融政策を担う中央銀行としてECB（欧州中央銀行）があります。いずれにおいても、物価（通貨価値）の安定と金融システムの安定維持を重要視し、金融政策により経済を安定させる役割を担っています。

我が国の中央銀行は日本銀行です。1984年4月に施行された現行の日本銀行法では、金融政策の理念を「物価の安定を図ることを通じて国民経済の健全な発展に資すること」と定めています。物価が不安定だと、私たちの生活に混乱が生じ、経済がうまく立ち行かなくなります。安定的かつ持続的に経済成長を遂げていくためには、物価の安定は不可欠な基盤なのです。

銀行の銀行
日本銀行は民間の銀行からお金を預かり、必要に応じて民間の銀行へお金を貸す。金融機関相互間の決済を円滑に行うため、日銀ネットというシステムを利用している。

中央銀行は「金融システムの安定」も担っています。日本銀行は「**銀行の銀行**」として金融機関の資金のやり取りを円滑に機能させる役割を果たしています。また、**最後の貸し手**として、金融機関に対し一時的な資金の貸付け等を行うことで金融システムが機能不全となることを防いでいます。

最後の貸し手
一時的な資金不足に陥った金融機関に対し、ほかに資金供給を行うものがいない場合に、日本銀行はセーフティネットとなる。

さらに、金融政策によって経済を活性化する役割もあります。一般の金融機関に貸し付ける際の金利を引き下げることで、金融機関は借り入れしやすくなり、企業や個人への貸出金利も引き下げられます。すると企業や個人が資金調達をしやすくなり、経済が活性化するのです。そのために市場全体の資金量を調整しています（P.38参照）。

こうした役割を果たすためにも、日本銀行では先行きの経済などの見通しを立て、金融政策をどのように運営していくのかを日々検討しています（P.84参照）。

▶ 中央銀行が行う金融政策のイメージ

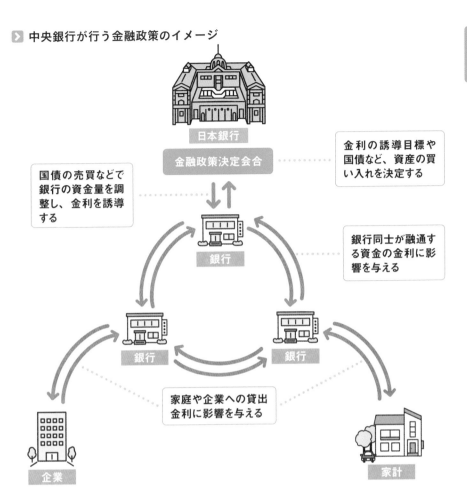

日本銀行

金融政策決定会合

金利の誘導目標や国債など、資産の買い入れを決定する

国債の売買などで銀行の資金量を調整し、金利を誘導する

銀行

銀行同士が融通する資金の金利に影響を与える

銀行

銀行

家庭や企業への貸出金利に影響を与える

企業

家計

 ONE POINT

現存する最古の中央銀行

スウェーデン国立銀行は1668年に設立された現存する最古の中央銀行です。ちなみに「(ノーベル)経済学賞」は、設立300年を記念してスウェーデン国立銀行により1968年に設立されたものです。今日の典型的な中央銀行制度を確立したのは、1694年に設立されたイギリスのイングランド銀行といわれています。

Chapter1
09

金融商品取引法を知ろう

金融商品取引法は、株式や債券、投資信託などの金融商品を取引する際のルールをまとめた法律です。投資性のある金融商品を取引する際の投資家保護と、透明で公正な市場作りのために施行されました。

📍 投資家保護と透明で公正な市場作りを目的としている

金融ビッグバンにより、私たちが投資できる金融商品の幅が大きく広がり、複雑な金融商品が増加しました。それによって一部でトラブルが生じるようになりました。そのため、従来の証券取引法などの法律を見直し、投資性のある金融商品を横断的に規制対象とするために設けられたのが金融商品取引法です。

金融商品取引法は、株式や債券、投資信託などの金融商品を取引する際のルールをまとめた法律です。第1条では、金融商品を取引する投資家の保護と、透明で公正な市場作りを目指すことが目的とされています。

金融商品を取り扱う業者のことを「金融商品取引業者」といい、株式などの投資性のある金融商品を販売できるのは、内閣総理大臣に申請、登録した業者に限っています。

金融商品取引業者が販売や勧誘を行う際にもルールが設けられています。例えば、適合性の原則があります。ほかにも、金融商品取引で顧客に生じた損失の補填の禁止、「これは必ず儲かります」といった断定的な判断の提供を禁止するといった決まりがあります。仮に違法な販売や勧誘行為があった場合には、顧客は契約を取り消すことが可能です。

また、投資家に対するルールとしては、相場操縦を行った場合やインサイダー取引を行った場合には刑罰、課徴金を科すなどの罰則が強化されています。

もう1つ、金融サービス提供法（元金融商品販売法）は金融商品の販売において販売業者が違反行為をした場合に損害賠償を請求できる法律です。この2つの法律をもとに投資家は安心して金融商品の取引ができるようになっています。

金融ビッグバン
1996年から2001年頃にかけて行われた日本の金融制度改革（P.88参照）。

適合性の原則
顧客の知識、経験、財産の状況や契約締結の目的に照らして、不適当な販売や勧誘を行ってはならないという原則。

相場操縦
株価などを意図的に変動または固定させる行為。売主と買主が連携して、あたかも売買しているように見せかける行為等が該当する。

インサイダー取引
上場企業の役職員や大株主などの会社関係者が、その会社の未公開の内部情報をもとに証券を売買し不正な利益を得る行為。会社関係者から未公開情報を入手し証券を売買した者も処罰の対象となる。

金融サービス提供法
販売業者に重要事項の説明、断定的判断の提供禁止を義務付け、違反したら損害賠償請求できる。

金融商品取引法ってなに？

金融商品取引法

金融商品を取引するときのルール

ルールを設けることで

投資家の保護・公正な市場作りができる

金融商品取引法と金融サービス提供法の対象範囲

	規制法	金融商品		規制法	金融商品
金融サービス提供法（元金融商品販売法）	証券取引法	・国債 ・地方債 ・社債 ・株式 ・投資信託 ・有価証券に関するデリバティブ取引等（限定列挙）	2007年に改正 → 新しい法制	金融商品取引法	・国債 ・地方債 ・社債 ・株式 ・投資信託 ・信託受益権 ・集団投資スキーム持分 ・さまざまなデリバティブ取引
	銀行法	外貨預金			投資性のある預金商品
	保険業法	変額年金保険			投資性のある保険商品
	不動産特定共同事業法	不動産特定共同事業契約			不動産ファンド等

金融商品取引法の販売・勧誘ルールに準ずる

出典：金融広報中央委員会「対象となる金融商品と金融商品取引業」を元に作成
https://www.shiruporuto.jp/public/document/container/torihiki/torihiki002.html

金融商品取引法は「金商法」とも呼ばれています。2007年の法改正前は証券取引法という題名でした。

金融の知識はどう役に立つ？

経済がわかるようになり、日本の先行きを想像できる

　金融は経済と密接であり、金融がわかれば経済の動きを捉えることにもつながります。例えば、株価動向は各企業の業績が反映されることから、企業業績にも敏感になることでしょう。金利動向は各国の信用度合いや経済状況を知る1つのメカニズムとして把握できます。もちろん、日本経済新聞のような新聞や雑誌をスラスラ読むことができ、さらに新しい知識を付加することができます。すると日本の先行きについて自分なりの想像もできるでしょう。

　最新の金融関連の技術や知識は、生活にも活かすことができます。例えば、銀行に行かず自宅でインターネットを利用して振込を行う、電子マネーや仮想通貨（暗号資産、第10章参照）を使って買い物などを行うことができます。生活における利便性を高められるのです。

　また、自分の資産運用にも活かすことができます。株式投資をどう行えばよいか、どういった企業の株式を買えばよいか、預金するならどこの銀行が魅力的かといった悩みは、金融の知識があれば判断できるようになります。自分の資産を自分で守るためには金融の知識は必要不可欠です。

実践で活かしてこそ金融を知る意味がある

　人生における3大資金は教育・住宅・老後資金といわれていますが、こうした資金計画、金利選択などにも金融の知識は役立ちます。

　住宅を買うときの金利は変動金利にすべきか、固定金利にすべきか、金利はどこが低く魅力的か、借り換えるときはどこの金融機関を選べばよいかといった判断ができます。

　このように私たちの生活と金融は切っても切れない関係なのです。だからこそ、金融の知識は持っておくべきですし、できれば実践で活かすべきです。実践で身に付けた知識、経験は一生役立ちます。失敗することもあるかもしれませんが、生活力を高めるためにも、資産運用など果敢にチャレンジしてみてください。

第2章

「市場」と「金利」

金利とは、貸したお金に対して受け取る利子のことを
いいます。銀行からお金を借りる際に、銀行に支払う
利子のことでもあります。ここでは、金利が決まるし
くみに加え、金融市場と金利の関係、そして金利が変
動する要因などについて解説します。

Chapter2 01

金利とはお金の融通で発生する手数料のこと

一般的には借りたお金に対し利子が発生します。利子とは「貸してくれた人に支払う手数料」です。金利は借りたお金に対する利子の割合のことをいいます。

金利には固定・変動と、単利・複利がある

お金を貸し借りする際、通常は借りたお金に利子を上乗せして返します。利子は、お金を貸してくれた人への見返りです。お金を融通する際の、いわば手数料に該当します。その手数料を、借りたお金（元本）に対する割合で表したものが金利です。例えば「金利年1%」は「1年間借りたら元本の1%をお礼に払う」という意味です。仮に100万円を1年借りるとしたら、1万円の利子を加えて101万円を返済します。半年借りるなら利子は5千円です。

では2年だと利子はどうなるでしょうか。金利の算定期間を超えると、2つの計算方法があります。元本は変わらずに金利をかける方法が「単利」で、1年間で付いた利子を元本に組み込んで金利をかける方法が「複利」です。

100万円を2年借り、単利計算なら利子は2万円です。複利だと2年目の元本は101万円となり、2年目の利子は1.01万円、合計102.01万円を返済することになります。

実際には期日に一括返済ではなく、住宅ローンのように分割で月々返済していくことがあります。返済方法（元利均等返済・元金均等返済）によっても毎月の元本は変動しますから、返済終了時の利子の総額は変わります。

金利には、お金を借りてから返済するまで金利が変わらない「固定金利」と、そのときの金利水準に応じて途中で金利を見直しする「変動金利」があります。固定金利より変動金利は低いことが一般的です。

金利は、銀行に預けるさまざまな預金にも発生します。借金や預金の金利は、金融市場において民間の金融機関がそれぞれ決めます。これを市中金利といいます。金利は、年利で表示されるこ

固定金利

借金なら金利の上昇局面で有利、下降局面で不利になる。預金なら金利の上昇局面で不利、下降局面で有利になる。

変動金利

借金なら金利の上昇局面で不利、下降局面で有利になる。預金なら金利の上昇局面で有利、下降局面で不利になる。

市中金利

市場金利とも呼ばれる。中央銀行以外の金融機関において、市場で適用される標準的な利率を指す。短期金利と長期金利に分けられ、市場の資金需給によって利率が変動する。

▶ 単利と複利とは（100万円を年利1％で運用した場合）

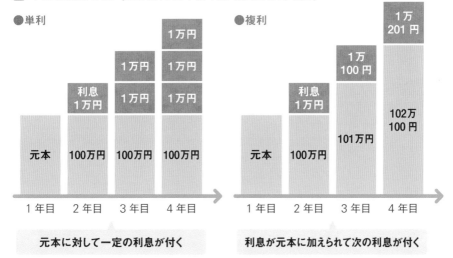

●単利

元本に対して一定の利息が付く

●複利

利息が元本に加えられて次の利息が付く

▶ 単利と複利の考え方

●単利の利息の付き方

元本100万円を金利1％で運用したとすると……

1年後の元利合計額は、100万円×（1＋0.01×1）＝101万円

2年後の元利合計額は、100万円×（1＋0.01×2）＝102万円

毎年の利息が1万円のため、2年間で利息が2万円になると計算できる。

●複利の利息の付き方

元本100万円を金利1％で運用したとすると……

1年後の元利合計額は、100万円×（1＋0.01）＝101万円

2年後の元利合計額は、100万円×$(1＋0.01)^2$＝102.01万円

2年後は、元本100万円、利息2.01万円の合計となる。単利と異なり、利息に利息が付くため、元利合計額が多くなることがわかる。

とが一般的です。1年より短い金融商品でも年利で表示します。例えば年利1％で3カ月の定期預金は、実際は0.25％（年利の4分の1）の利息になります。一方、何年も預ける複利商品は利息の合計が単利より高くなります。利息合計を運用年数で割った金額の元本に対する比率を「利回り」と呼びます。

Chapter2
02

金利はどのようにして決められる？

お金を借りるときの金利はどのように決められているのでしょうか。金利は大きく2つの視点から決まります。1つが短期プライムレート、もう1つが借り手の信用力です。信用力が高いほど金利は低くなります。

短期プライムレートに信用力を加味して決まる

個人や企業が金融機関からお金を借りる際に、金利はとても気になるところです。低いほどいいとはいえ、誰もが低金利で借りられるわけではありません。では、金利はどのように決められているのでしょうか。大きくいえば、金利は2つの視点から決まります。

1つは短期プライムレートで、金融機関が最も信用力の高い優良企業に対して、1年未満の短期間の融資を行う際に適用する金利です。短期プライムレートは、日本銀行が決定する政策金利をもとに、各金融機関が設定します。

もう1つは借り手の信用力です。金融機関の審査に基づき、返済能力が高いかどうかといった信用力が決定されます。

金利は、短期プライムレートに信用力を加味して決まります。信用力が高い大手企業は、短期プライムレートに近い金利で融資を受けられます。中小企業や自営業者は信用力は劣るためそれより高い金利になります。信用力は過去の返済実績や預金額等でも変わり、個人の場合は職業や年収なども審査の対象となります。

担保の有無も金利を左右する

このほか、担保があるかないかによっても金利は異なります。例えば、住宅ローンは住宅という担保があるため低い金利で融資を受けられます。住宅ローンの変動金利は、金融機関が半年ごとに短期プライムレートの動向に応じて見直します。一方で、担保のないローンの金利は高くなります。

短期プライムレート
各金融機関のホームページや店頭で公表されており、現状ほぼ横並びである。

政策金利
日本銀行が、景気や物価の安定など金融政策上の目的を達成するために指標とする短期金利。日本では無担保コール翌日物金利（P.40参照）が該当する。

信用力
お金を返済できる能力が高いかどうかの度合いを図るもの。企業や債券については、格付機関による格付評価（P.184参照）が用いられる。

▶ 金利は信用力で決まる

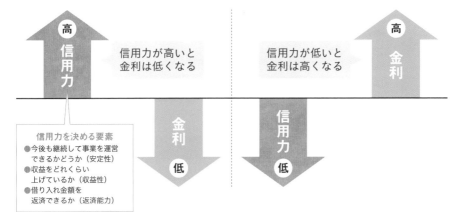

信用力が高いと金利は低くなる

信用力が低いと金利は高くなる

信用力を決める要素
- 今後も継続して事業を運営できるかどうか（安定性）
- 収益をどれくらい上げているか（収益性）
- 借り入れ金額を返済できるか（返済能力）

▶ 短期プライムレートの推移（毎年1月基準）

2009年1月以降は年率1.475%と横ばいの状態が続く

金利適用月	短期プライムレートの最頻値（年率）	金利適用月	短期プライムレートの最頻値（年率）
2008年1月	1.875%	2016年1月	1.475%
2009年1月	1.475%	2017年1月	1.475%
2010年1月	1.475%	2018年1月	1.475%
2011年1月	1.475%	2019年1月	1.475%
2012年1月	1.475%	2020年1月	1.475%
2013年1月	1.475%	2021年1月	1.475%
2014年1月	1.475%	2022年1月	1.475%
2015年1月	1.475%	2023年1月	1.475%

出典：日本銀行「長・短期プライムレート（主要行）の推移　2001年以降」
※2009年1月1日〜1月13日は最も個数の多いデータが複数あるため不定。2009年1月13日以降のデータで表示

▶ 担保があると金利は低くなる

借り手　＋　担保　低金利　返済　融資　借り入れ限度額も高くなる　金融機関

Chapter2 03

金利が変動する要因

景気、物価、市場動向（外国為替や株価、海外金利など）。金利の変動要因はさまざまにあります。金利は必ずしも1つの要因だけで動くわけではなく、複数の要因が重なり合うことで変動しているのです。

📍 景気がよくなれば金利は上昇、悪くなれば低下

金利は常に変動しますが、その要因は主に3つあります。経済的な要因、物価要因、市場動向に伴う要因です。

経済的な要因とは、景気動向です。景気がよくなると人びとの消費は旺盛になり、企業の投資も活発になります。資金需要が増すため金利は上昇しやすくなります。逆に、景気が悪くなると資金需要は減退します。すると金融機関はなんとか借りてもらおうとして金利は低下します。

次に、物価が上昇すると、同じモノやサービスを購入するにもより多くのお金が必要になります。この結果、資金需要が拡大し金利が上昇しやすくなります。インフレ期待があるときも金利は上昇します。一方、物価が下落するデフレ状況では、これとは逆で資金需要が低下するため、金利は低くなる傾向があります。

📍 外国為替・株価・海外金利などの市場動向

市場動向としては、まず外国為替の影響です。一般に円安傾向にある場合、国内の物価は輸入価格の上昇を通じて上がりやすくなるため、金利も上昇しやすくなります。円高傾向にある場合には、輸入物価の低下を通じて国内物価は低下気味となり、金利も低下しやすくなります。

市場動向としては、2つめに株価の影響があります。株価が上昇傾向にあるときは景気もよく金利も上昇しやすくなります。株価の下落は景気を冷やし金利の低下へとつながります。

市場動向としてはほかにも、海外金利に影響を受ける可能性があります。世界的に景気がよくなり、金利が上がりやすい状況では、日本国内の金利も上昇しやすくなる場面があります。

外国為替
円と米ドルなど異なる通貨を交換すること。海外旅行に行く際に円を外貨に両替したり、海外の株式を購入するために円を外貨に交換したりする。こうした各国の通貨を交換する場所を外国為替市場という（P.46参照）。

円安
ほかの国の通貨に対して円の価値が低下すること。1ドル130円から140円になるような現象が該当する（P.76参照）。

円高
ほかの国の通貨に対して円の価値が高くなること。1ドルが140円から130円になるような現象が該当する（P.76参照）。

▶ 金利の変動要因

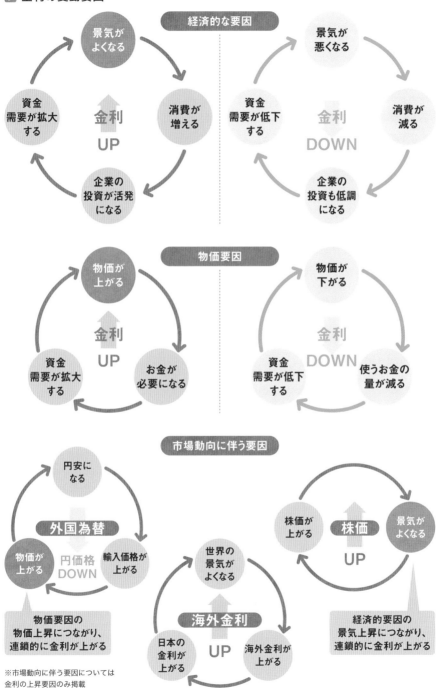

経済的な要因

景気が
よくなる → 消費が
増える → 企業の
投資が活発
になる → 資金
需要が拡大
する → 景気が
よくなる

金利 UP

景気が
悪くなる → 消費が
減る → 企業の
投資も低調
になる → 資金
需要が低下
する → 景気が
悪くなる

金利 DOWN

物価要因

物価が
上がる → お金が
必要になる → 資金
需要が拡大
する → 物価が
上がる

金利 UP

物価が
下がる → 使うお金の
量が減る → 資金
需要が低下
する → 物価が
下がる

金利 DOWN

市場動向に伴う要因

円安に
なる → 輸入価格が
上がる → 物価が
上がる

外国為替
円価格 DOWN

物価要因の
物価上昇につながり、
連鎖的に金利が上がる

世界の
景気が
よくなる → 海外金利が
上がる → 日本の
金利が
上がる

海外金利 UP

株価が
上がる → 景気が
よくなる

株価 UP

経済的要因の
景気上昇につながり、
連鎖的に金利が上がる

※市場動向に伴う要因については
金利の上昇要因のみ掲載

Chapter2
04

金融政策と金利の関係

日本銀行が行う金融政策は金利を動かす重要な要因となっています。金融緩和により政策金利の引き下げ、国債の購入が行われると、金利低下の要因となります。逆に金融引き締めを行うと金利は上昇します。

金融緩和政策で金利を低下させている

日本銀行が行う金融政策には、金融緩和と金融引き締めがあります。近年はずっと金融緩和を行っています。

金融緩和では政策金利の引き下げを行うほか、国債を市場から購入する「公開市場操作」という政策がとられます。国債を買って市場に供給する資金量を増やすことは量的緩和とも呼ばれます。お金が市場で潤沢になると、金利が下がる効果が期待できます。金利の低下は景気にプラスの影響をもたらします。

一方、金融引き締めでは逆のことを行います。政策金利を引き上げたり、国債を市場で売却し、市場から資金を吸収します。お金が借りにくくなることから、金利は上昇しやすくなります。すると、景気にマイナスの影響をもたらします。

日本銀行をはじめ、各国の中央銀行は、こうした金融政策によって金利のかじ取りを行い、景気の調節を図っています。

長期金利も下げて2%のインフレを目標に景気対策

金融緩和により、日本の短期国債の利回りは現在ゼロからマイナスとなっており、短期金利を動かすだけでは限界にきています。日本銀行はさらに長期国債の買い入れで、長期金利も下げて景気を刺激しようとしています。残存期間に応じた利回りを動かすことを、イールドカーブ・コントロールと呼びます。10年物国債の利回りが1%を目途とする目標で金利を誘導しています（2023年11月現在）。

こういった大規模な景気刺激策で年2%の物価上昇率を目標にしています。日本銀行が今後物価動向をもとにどのような政策を打ち出すのかが注目されます。

量的緩和
ゼロ金利下では、金利をこれ以上下げられないため、デフレ脱却のための手段として世の中に出回るお金の「量」を増やす手段をとる。

短期金利
取引期間が1年未満の資金を貸し借りする際の金利。日本銀行が公開市場操作を通じて調節を行う無担保コール翌日物金利（P.40参照）が代表的な指標である。

長期金利
取引期間が1年以上の資金を貸し借りする際の金利。代表的な指標金利として、新発10年国債利回り（新しく発行された償還期間10年の国債利回り）がある。

イールドカーブ
Yieldとは利回りのこと。残存期間（償還までの期間）が異なる債券の利回りの変化を線で結んでグラフ化したもの。

▶ 日本銀行が行う金融政策の例

日本銀行

金融緩和	金融引き締め

● 国債の買い付け（公開市場操作） ● 国債の売却
● 政策金利の引き下げ　など ● 政策金利の引き上げ　など

● お金の流通量が増える（量的緩和） ● お金の流通量が減る
● 金利の低下 ● 金利の上昇

経済の活性化	経済の鎮静化

▶ 日本国債のイールドカーブを操作している

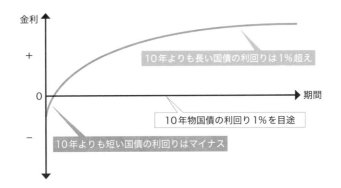

金利

＋

10年よりも長い国債の利回りは1%超え

0

期間

10年物国債の利回り1%を目途

－

10年よりも短い国債の利回りはマイナス

金融市場は長期金融市場と短期金融市場に分けられる

金融市場のうち、お金の返済期限が1年未満のものを「短期金融市場」、1年以上のものを「長期金融市場」と呼びます。各市場では、さまざまな金融商品の取引が行われています。

返済期限によって市場が分類されている

お金の融通（お金の貸し借り）を行う場を金融市場といいます。金融市場は「短期金融市場」と「長期金融市場」の2つに大きく分かれます。お金の貸し借りには一般的に返済期限がありますが、この返済期限が1年未満と短いものを扱うのが「短期金融市場」、1年以上のものを扱うのが「長期金融市場」です。

短期金融市場で取引される商品

短期金融市場は、金融機関のみ参加が可能な「インターバンク市場」と、一般企業なども参加が可能な「オープン市場」に分けることができます（P.48参照）。インターバンク市場では、金融機関同士で短期間の資金を融通し合います。オープン市場では、コマーシャルペーパーや国庫短期証券などが取引されています。

短期金融市場で取引される金融商品の金利は、市中金利に大きく影響を与えます。インターバンク市場の代表的な金利が無担保コール翌日物金利です。日本銀行が行う金融政策によって操作目標とされる金利です。オープン市場の代表的な金利はCD3カ月物金利です。こうした短期金融市場で取引されている金融商品の金利をもとにMRFなどの公社債投資信託は運用されています。

長期金融市場で取引される商品

長期金融市場は、「長期貸付市場」と「証券市場」の2つに大きく分けることができます。長期貸付市場では、政府系も含めた金融機関などによる長期貸出を中心に行われています。

証券市場は、株式市場と公社債市場に区別され、株式や債券が取引されます。

コマーシャルペーパー
CPとも呼ばれる。信用力の高い企業が短期資金を調達するためにオープン市場で発行する無担保の約束手形。償還期間は通常1年未満であり、1カ月や3カ月ものが多い。額面金額は1億円以上。

国庫短期証券
日本政府が発行する、償還期限が1年未満の国債。政府が一時的な資金不足を補うためなどに発行する。TDB（Treasury Discount Bills）ともいう。

無担保コール翌日物金利
金融機関同士が今日借りて明日返すという、無担保で1日だけ借りる場合の金利を示す。

CD
Certificate of Depositの略で譲渡性預金。無記名式の預金であり、第三者に譲渡できる。発行金額や期間、金利なども自由に定められる。

▶ 金融市場の分類

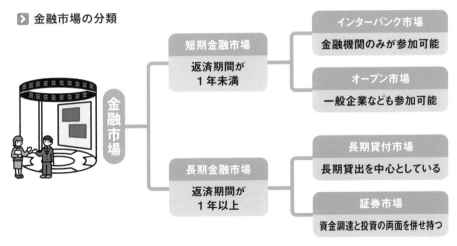

▶ 日本の政策金利の推移

※毎年1月のみを抜粋

無担保コールレート月平均／金利%					
1994/1	2.33125	2004/1	0	2014/1	0.073
1995/1	2.25	2005/1	0.001	2015/1	0.074
1996/1	0.47	2006/1	0.001	2016/1	0.074
1997/1	0.48	2007/1	0.267	2017/1	-0.045
1998/1	0.44	2008/1	0.502	2018/1	-0.04
1999/1	0.23	2009/1	0.12	2019/1	-0.064
2000/1	0.02	2010/1	0.096	2020/1	-0.032
2001/1	0.25	2011/1	0.085	2021/1	-0.017
2002/1	0.001	2012/1	0.08	2022/1	-0.02
2003/1	0.002	2013/1	0.083	2023/1	-0.02

出典：日本銀行 時系列統計データ 検索サイト

金利は長い年月をかけて下がり続け、2023年現在マイナスとなっている。

MRF
マネー・リザーブ・ファンドの略。投資信託の1つだが証券総合口座にある資金を安全に保管しておく目的が強い。元本割れを避けて、信用力が高い公社債で運用され、入出金しやすい。

　こうした市場は特定の場所にあるのではなく、特定の金融商品の取引全体のことを市場と呼びます。ですから、皆さんが証券会社を経由して株式を売買すれば、「株式市場に参加している」といえるのです。

Chapter2 06

株式市場とは

株式市場とは、株式が取引される市場のことを指します。新しく株式を発行し資金調達を行う「発行市場」と、すでに発行されている株式の売買を行う「流通市場」から構成されています。

IPO
Initial Public Offeringの略。企業は事業資金の調達を行う1つの手段として上場する。株式公開をIPOという。

証券取引所
東京証券取引所はプライム市場、スタンダード市場、グロース市場があり、そのほかに各証券取引所にあるベンチャー企業などが上場する新興市場等がある。

東証プライム市場
東京証券取引所の場合、東証プライム市場、スタンダード市場、グロース市場の順に上場審査が厳しい。

金融派生商品
デリバティブとも呼ぶ。株式や債券、通貨、貴金属など伝統的な資産から派生した金融商品の総称をいう（P.190参照）。

大阪取引所
東京証券取引所などを傘下に持つ日本取引所グループの子会社。総合取引所として稼働している。

株式市場は発行市場と流通市場に分かれる

株式市場では、株式の発行と取引が行われています。株式市場は2つに区分けされ、新しく株式を発行し資金調達を行う「発行市場（Primary Market）」と、既に発行されている株式の売買が行われる「流通市場（Secondary Market）」があります。IPOは発行市場で取り扱われます。一般的には、流通市場のことを株式市場と呼びます。私たちが日ごろ目にする株価は、流通市場で取引されている価格です。流通市場は取引する内容により、さらに「現物市場」と「デリバティブ市場」に分けられます。

現物市場では、上場企業の株式の売買が行われています。現在、日本国内における上場株式の売買は、東京、名古屋、福岡、札幌の4カ所の証券取引所で行われています。日本を代表する企業が上場する東証プライム市場は、日本の株式取引の中心です。

もう1つのデリバティブ市場は、株価指数先物取引や株価指数先物オプション取引など金融派生商品の取引です。取り扱うのは大阪取引所です。

多数の参加者による売買が日々行われている

株式市場には、証券会社、年金組織・保険会社・銀行といった機関投資家、ヘッジファンド、個人投資家などの参加者がいます。

証券会社は、個人投資家や機関投資家が株式を売買する際に、証券取引所に仲介する役割です。機関投資家は、多額の資金を利用して株式や債券等で運用を行う大口投資家です。ヘッジファンドは金融派生商品なども組み入れ、さまざまな取引手法を駆使しながら高い運用収益を目指す運用のプロです。そして個人投資家を加えて、多様な参加者が株式市場を形成しています。

▶ 発行市場と流通市場の関係

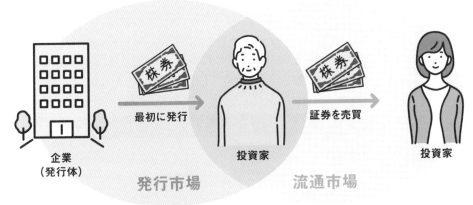

発行市場では新しく株式を発行する。流通市場ではすでに発行された株式を売買する。

▶ 株式市場の参加者

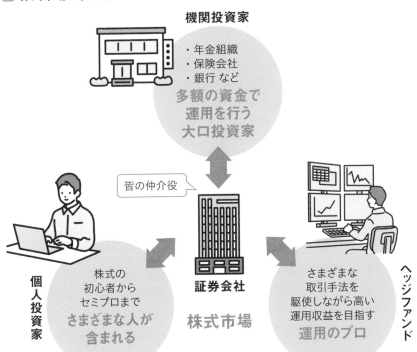

Chapter2

07

債券市場とは

債券市場で取引される主な債券は公共債と社債です。一般に公社債市場とも呼ばれ、株式市場とともに証券市場を構成しています。売買の多くは店頭取引で行われています。

国債・地方債・社債などを取引する

債券市場では、国債や地方債、社債など債券の取引が行われます。国が発行する国債、地方公共団体が発行する地方債をまとめて公共債と呼び、これに社債をあわせて公社債市場と呼ぶ場合もあります。

債券市場はいくつかの分類方法があります。株式市場と同様に、新しく債券を発行する場合を発行市場、すでに発行されている債券を売買する市場を流通市場と呼びます。現物市場では、すでに発行されている債券の取引を行い、先物市場では、将来の売買を約束する債券が取引されます。株式は証券取引所での取引（取引所市場）が中心ですが、債券の場合はその比率は小さく、ほとんどは金融機関の窓口などで売買されます。これを店頭市場といいます。店頭取引（相対取引）では、売り手と買い手が当事者同士で価格や取引数量を決めて売買を行います。先物は大阪取引所に上場しています。

ほかにも、主に日本で発行される債券（日本国債など）が取り扱われる国内市場と、主に海外で発行される債券（外国債）が取り扱われる海外市場に分類されます。

最大の債券市場は米国にある

債券市場の参加者の多くは債券トレーダーや機関投資家といった運用のプロです。個人投資家も参加可能ではあるものの、株式市場に比べると存在感は低くなっています。

各国の金融政策、その時々の需給バランス、将来の金利見通しなどにより債券価格は変動します。それに応じて債券市場での取引にも波があります。

店頭取引
証券取引所を通さずに、証券会社等と投資家のあいだで売買を行う取引を指す。OTC取引ともいう（Over The Counter transaction）。債券では99％以上が店頭取引であり、証券会社だけでなく銀行などの金融機関でも一部売買される。

日本国債
日本国政府が発行する債券。JGB（Japanese Government Bond）とも呼ばれる（P.176参照）。

外国債
発行市場、発行する企業・国（発行体）、通貨のいずれかが外国である債券のこと（P.180参照）。

債券トレーダー
店頭市場で債券の売買を仲介する役割を担う。売買額の差が収益となる。

▶ 債券市場の分類

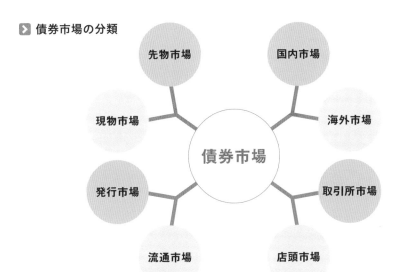

▶ 債券の取引は店頭市場がほとんど

債券のほとんどは証券取引所を介さず、金融機関の窓口などで売買される。

▶ 債券市場の参加者

需給バランス
債券や株式の価格は、需要と供給によって決まる。買いたい人が多ければ上がり、売りたい人が多ければ下がる。

　実は世界全体で見ると、株式市場よりも債券市場のほうが規模は大きく、年々拡大しています。その中でも米国市場が最大であり、米ドル建ての債券が世界で最も多く取引されています。

Chapter2 08

外国為替市場とは

外国為替市場には大きく「インターバンク市場」と「対顧客市場」があり、24時間世界のどこかで取引が行われています。特に取引の多いロンドン・ニューヨーク・東京の3つの市場は世界三大市場と呼ばれています。

インターバンク市場と対顧客市場に分けられる

外国為替市場は、円と米ドル、円とユーロ、米ドルとユーロなど2つの異なる通貨を交換する市場です。略して外為市場とも呼ばれます。例えば、私たちが海外に行くときに通貨の両替を行いますが、これも立派な外国為替取引の一部です。

外国為替市場には、大きく分けて「インターバンク市場」と「対顧客市場」があります。インターバンク市場とは、銀行などの金融機関のみが参加できる市場です。対顧客市場とは、銀行などの金融機関が機関投資家、企業、個人などの顧客を相手に外国為替取引を行う市場です。インターバンク市場の為替レートを基準に、銀行は手数料を上乗せして外貨の両替を行います。

海外から輸入を行う場合、現地の通貨が必要になります。海外旅行に行く場合も同様です。こうした場合に両替を行う必要があり、世界中で必要な取引であることから主要各国に市場があり、24時間世界のどこかで取引されています（右ページ表）。

変動が大きくなり過ぎた場合は為替介入が行われる

この中でも、特に取引が多いのがロンドン・ニューヨーク・東京で世界三大市場と呼んでいます。それぞれ証券取引所のように取引所が設置されているわけではありません。その国で取引される時間帯が、外国為替市場が開いている時間になります。

外国為替相場は、1ドル＝142円20銭など、基本的には市場における外国為替の需要と供給により決定されます。ただし、行き過ぎた変動があった場合などには、各国の金融当局が市場に介入（為替介入）し、為替の変動を抑制する対応がとられることもあります。

米ドル
米国が発行する通貨。その信頼性から、世界の基軸通貨として貿易など国際業務の決済に利用される。

ユーロ
欧州連合の経済通貨同盟で使用されている通貨。国境を越えてヨーロッパの多くの国で利用できる。

外国為替相場
2つの通貨の交換比率。固定相場制と変動相場制がある（P.160参照）。

為替介入
為替相場において過度な変動を防ぐ目的で各国の中央銀行が行う通貨売買（P.158参照）。

▶ インターバンク市場と対顧客市場の関係

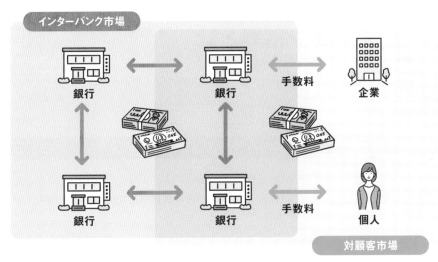

インターバンク市場で決まった為替相場をもとに、対顧客市場の為替相場が決まる。

▶ 外国為替市場－各国市場の取引時間の目安

(11月～3月、日本時間)

市場	国	取引時間
ウェリントン	ニュージーランド	5:00 ～ 14:00
シドニー	オーストラリア	7:00 ～ 15:00
東京	日本	9:00 ～ 17:00
香港	中国	10:00 ～ 18:00
シンガポール	シンガポール	10:00 ～ 18:00
バーレーン	バーレーン	15:00 ～ 24:00
フランクフルト	ドイツ	17:00 ～ 2:00
ロンドン	イギリス	18:00 ～ 3:00
ニューヨーク	アメリカ	23:00 ～ 6:00

上記のように、24時間どこかで取引が行われています。夏時間を採用している国では、夏季は取引時間が上記の時間より1時間早くなります。

金融機関のみが参加する市場と、それ以外も参加する市場

Chapter2 09

インターバンク市場と
オープン市場とは

インターバンク市場は銀行間取引市場ともいわれます。一方、オープン市場とは、金融機関のほかに、企業や公的機関なども参加が可能な市場のことを指します。

金融機関のみが参加者かどうかの違い

インターバンク市場は金融機関のみが参加できる市場です。大きく分けて「短期金融市場」と「外国為替市場」（P.46参照）があります。

短期金融市場のインターバンク市場は、金融機関の日々の手元資金の過不足を調整する場です。代表的なものに「コール市場」があります。コール市場は、日本で最も歴史がある短期金融市場です。担保を必要とする有担保コールと、担保を必要としない無担保コールの2つの取引があります。コール市場のほかにも「手形市場」「銀行間預金市場」が短期金融市場の中のインターバンク市場に該当します。

手形市場は手形売買市場とも呼ばれ、支払期日前の商業手形や銀行引受手形を売買します。手形をもとに金融機関が相互に短期の資金を融通し合い、おもに金融機関相互間の資金過不足を調整する機能を果たします。

銀行間預金市場は円デポ市場とも呼ばれ、資金の余った銀行が資金の不足している銀行に預金を行い、銀行間で資金を調達し合うしくみです。取引が容易で、銀行間の帳簿の手続きのみで資金移動が行われます。

一方、オープン市場とは、金融機関のほかに、企業や公的機関、外国の企業なども参加できる市場です。オープン市場も短期金融市場と外国為替市場があります。短期金融市場の代表的なものとして、CD市場、CP市場、国庫短期証券市場（TDB市場）が存在します（P.40参照）。また、債券現先市場と債券レポ市場もあります。

現先
債券を一定期間後に一定価格で買い戻す、または売り戻すことを条件とする売買のこと。

レポ
repurchase agreementが原意だが、日本では貸借取引のことをレポ取引と呼ぶ。貸借取引とは株券や債券等の証券と、担保としての資金を交換し、一定期間後にもとの証券と同銘柄、同数量のものを返す取引のこと。

048

▶ インターバンク市場とオープン市場の違い

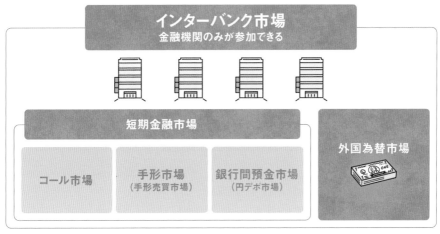

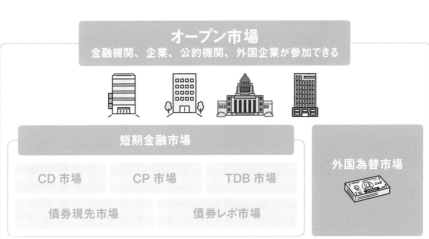

☛ ONE POINT

債券現先市場と債券レポ市場

債券現先市場とは、売買の当事者間で、一定期間後に一定価格で債券を買い戻す、または売り戻すことを約束して、債券の売買が行われる市場です。実質的には債券を担保に資金を貸借するのと同じです。債券レポ市場とは、金銭を担保に債券を貸借する市場です。実質的には債券の貸し手が現金を借り、債券の借り手が現金を貸しているのと同じです。

Chapter2
10

デリバティブ市場とは

デリバティブ市場では、「先物取引」「オプション取引」「スワップ取引」が行われます。これらの取引は株価下落などのリスク回避手段として利用され、取引所市場と店頭市場に分けられます。

金融派生商品を取引する市場

デリバティブ市場とは、株式や債券など本来の金融商品をもとに作られた金融派生商品を取引する市場です。株価下落などのリスク回避（**リスクヘッジ**）のために利用されています。デリバティブ市場は、大阪取引所などで取引される取引所市場と、証券会社などで相対取引する店頭市場があります。

デリバティブ取引には主に3つの取引、「先物取引」「オプション取引」「スワップ取引」があります。

先物取引とは、ある商品を、将来の特定の日に現時点で決めた価格で売買するという契約をする取引です。将来価格が上昇しそうであれば、価格が安い今のうちに買う約束をしておけば、購入時の価格との差が利益になります。一方、将来価格が下落しそうだと考えるのであれば、価格が高い今のうちに売る約束をしておけば、得することになります。当然ながら、予想と反対の動きとなった場合には、損失を被ることになります。

オプション取引とは、ある商品を、将来の特定の日に現時点で決めた価格で「買う権利」や「売る権利」を売買する取引です。買う権利を「**コール・オプション**」、売る権利を「**プット・オプション**」と呼びます。あくまで権利を売買しただけで、実際に売買するかはその後の状況で決まります。

スワップ取引とは、現在の価値が同じとなるものを交換する取引です。代表的な取引として、同じ通貨で変動金利と固定金利を交換する「金利スワップ」や、米ドルと日本円といった異なる通貨を交換する「通貨スワップ」があります。

こうしたデリバティブ取引は、現在はヘッジファンドなどにも取り入れられ、中には投機対象となる場合もあります。

リスクヘッジ
ヘッジとは予防策のこと。保持する金融商品の価格が下落しても、逆の立場の取引を同時にしておくことで損失を回避する取引手法をヘッジ取引という。例えば、買った株式が値下がりすると儲かるような先物取引をしておくなど。

コール・オプション
将来価格が上がりそうな場合はコール・オプションを買う。将来価格が下がりそうな場合はコール・オプションを売る。

プット・オプション
将来価格が下がりそうな場合はプット・オプションを買う。将来価格が上がりそうな場合はプット・オプションを売る。

▶ デリバティブ市場の主な取引

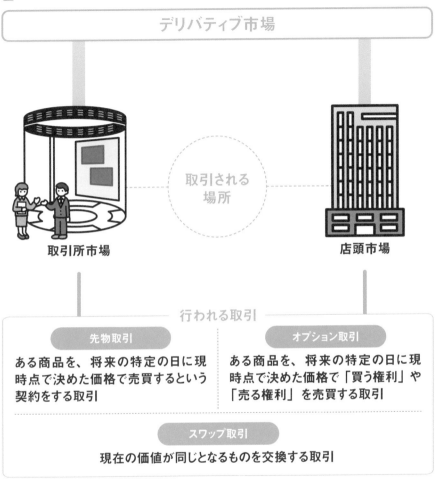

デリバティブ市場

取引される場所

取引所市場

店頭市場

行われる取引

先物取引
ある商品を、将来の特定の日に現時点で決めた価格で売買するという契約をする取引

オプション取引
ある商品を、将来の特定の日に現時点で決めた価格で「買う権利」や「売る権利」を売買する取引

スワップ取引
現在の価値が同じとなるものを交換する取引

▶ 代表的なスワップ取引

金利スワップ
変動金利 ⟷ 固定金利
金利だけを交換する

通貨スワップ
米ドル ⟷ 日本円
異なる通貨を交換する

Chapter2
11

国債と金利は
相反する値動きをする

国債などの債券価格は、金利と逆方向に動く傾向があります。金利が上がると債券価格は下落し、金利が下がると債券価格は上昇します。こうした傾向のほか、経済情勢、発行体の信用力、残存期間などでも変動します。

金利と債券価格は逆の動きをする

国債などの債券価格と金利には大きな関係があります。それは、金利が上昇すると債券価格は下がり、金利が下落すると債券価格が上がるという関係です。

例えば、償還まで5年の年利1％・額面100円の国債があったとします。そのあと金利が上昇して、年利2％の新しい国債が販売されたらどうでしょう。5年間に得られる利子は古い国債は5円で、新しい国債は10円です（元本のみに利息がつく単利で説明します：右ページ図参照）。

これでは古い国債は誰も買おうとしません。そこで発行済みの国債は値下がりします。仮に古い国債の売り値が95円に下がったら、5年後には額面金額と購入価格の差額5円＋利子5円の合計10円で、新しい国債と同じ利益になります。そうすると買う人もいるでしょう。

反対に金利が下がったときは、発行済みの国債のほうが金利が高く魅力的となるため価格は上がります。このような理由で、金利と発行済み債券の価格は相反する動きをするのです。

償還期限がくると額面金額が戻ってきます。いくらで買っていようが額面が100円なら100円です。100円未満で購入していればその差額は利益となります。これを償還差益といいます。一方で、100円超で購入している場合はその差額は損失となります。これを償還差損といいます。利子が高ければ償還差損をカバーできますが、損失が発生する場合もあります。

金利は大きな要因ですが、債券価格を決めるのはそれだけではありません。経済情勢や発行体の信用力、残存期間、人気度合いなどにも影響を受けます。

償還期限
債券の額面金額が償還される日。償還日や満期日とも呼ばれる。債券の発行日から償還期限までの期間を償還期間という（P.172参照）。

発行体の信用力
債券を発行する国や企業が、決められた利子の支払いを継続し、償還時に元本を返済できる能力があるかどうかの度合い。信用力は、債券の格付けが1つの判断材料となる（P.184参照）。

▶ 債券価格と金利の関係

● 発行時の債券価格が100円、利率1%とした場合

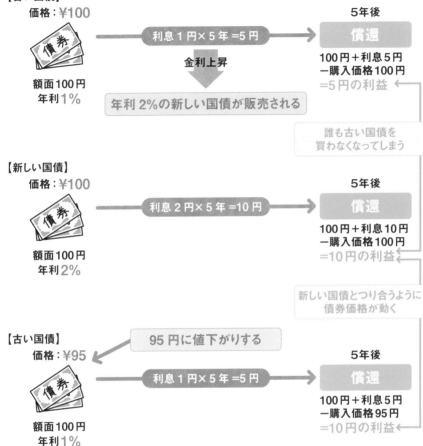

【古い国債】
価格：¥100

額面100円
年利1%

利息1円×5年 =5円

金利上昇

年利2%の新しい国債が販売される

5年後
償還

100円＋利息5円
－購入価格100円
=5円の利益

誰も古い国債を
買わなくなってしまう

【新しい国債】
価格：¥100

額面100円
年利2%

利息2円×5年 =10円

5年後
償還

100円＋利息10円
－購入価格100円
=10円の利益

新しい国債とつり合うように
債券価格が動く

【古い国債】
価格：¥95

95円に値下がりする

利息1円×5年 =5円

5年後
償還

100円＋利息5円
－購入価格95円
=10円の利益

額面100円
年利1%

▶ 償還差益と償還差損

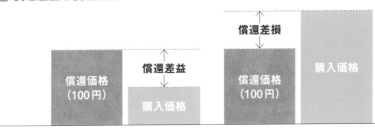

償還差益

償還価格
（100円）

購入価格

償還差損

償還価格
（100円）

購入価格

購入価格が償還価格より低い場合、償還差益が発生する。購入価格が償還価格より高い
場合、償還差損が発生する。利子が高ければ償還差損が出ても利回りはプラスにできる。

Chapter2
12

海外と国内の金利差は
為替や債券価格を動かす

海外と国内の金利の差を内外金利差といいます。金利が高い国に資金を預けるほうが相対的に魅力となるため、日本のような金利がゼロに等しい国の通貨は売られ、内外金利差は拡大する傾向にあります。

インフレで世界的に金利は上昇している

内外金利差
海外金利と国内金利の差。日本よりも海外の金利が高くなれば、日本から海外へ資金が移動する理由となる。内外金利差を主な要因に、経済状況、需要と供給の関係なども要因として為替は変動する。

海外と国内の金利の差を内外金利差といい、為替を動かす要因となります。

例えば、米国が金利を引き上げ日本は金利がゼロ状態だったとします。この場合、米国に資金を預けたほうが利息を受け取ることができるため、日本円を売って米ドルが買われます。この動きは円安ドル高へと為替が変動する要因となります。

昨今では、主要国の金利動向は類似した動きをとっています。世界中でコロナ禍やウクライナ紛争に伴うインフレの影響が出たこともあり、各国は金利の引き上げを行いました。一方で、日本は金融緩和を継続し金利は引き下げられたままなので、内外金利差が拡大し、円安へと大きく動くような状況となっています。

右ページ表のように、先進主要国は軒並み金利が上昇し、日本とは大きな金利差があります。

今後、先進国間の金利差状況によっては為替の変動に大きな影響を与える可能性があります。

金利差は債券価格にも影響がある

米国債
米国政府が発行する国債。世界最大の売買量と発行残高を誇る。戦争や経済・金融危機などでは、有事のドル買い、米国債買いが起きることも。米国債の金利は長期金利の世界指標ともなっている。

内外金利差は債券価格にも影響を与えます。例えば米国金利が上昇し、日本との金利差が大きくなった場合、米国債に投資したほうが魅力的となることから米国債が買われます。相対的に金利の低い日本国債は価格が下落することにつながります。このように、内外金利差の拡大や縮小は為替レートや債券価格の変動に大きく関係しているのです。

▶ 内外金利差があるとどうなる？

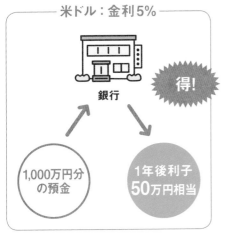

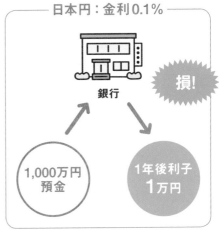

米国に資金を預けたほうが利息をたくさん受け取れるため米ドルが買われ、日本円がどんどんと売られていく。その結果、円安ドル高になる。

▶ 主要国の政策金利状況（2023年5〜10月）

各国政策金利表（単位＝％）

国名	5月	6月	7月	8月	9月	10月
日本	-0.10	-0.10	-0.10	-0.10	-0.10	-0.10
米国	5.25	5.25	5.50	5.50	5.50	5.50
欧州	3.75	4.00	4.25	4.25	4.50	4.50
英国	4.50	5.00	5.00	5.25	5.25	5.25
カナダ	4.50	4.75	5.00	5.00	5.00	5.00
豪州	3.85	4.10	4.10	4.10	4.10	4.10
ニュージーランド	5.50	5.50	5.50	5.50	5.50	5.50
スイス	1.50	1.75	1.75	1.75	1.75	1.75
香港	5.50	5.50	5.50	5.50	5.50	5.50
南アフリカ	8.25	8.25	8.25	8.25	8.25	8.25
中国	4.35	4.35	4.35	4.35	4.35	4.35
トルコ	8.50	15.00	17.50	25.00	30.00	35.00
ノルウェー	3.25	3.75	3.75	4.00	4.25	4.25
スウェーデン	3.50	3.75	3.75	3.75	4.00	4.00
メキシコ	11.25	11.25	11.25	11.25	11.25	11.25
ロシア	7.50	7.50	8.50	12.00	13.00	15.00

出典：https://www.gaitame.com/markets/seisakukinri/

コロナ禍やウクライナ紛争などにより2021年以降、政策金利を引き上げる国が続出した。

Chapter2
13

米国中心に動く金融市場

米国名目GDPは全世界におけるGDPの約25％を占めています。世界経済の4分の1ほどを占める米国が、現在も経済の中心となりニューヨークを軸に金融市場を動かしています。

📍 ニューヨークが世界の金融の中心となっている

2022年の米国名目GDPは25兆4,645億ドル。全世界の名目GDPが100兆77億ドルですので、世界の4分の1ほどの経済を米国が有していることになります。世界経済の主役は今も米国であり、金融に関してはニューヨークが中心です。

米国の行動は、世界の金融に大きな影響を与えています。例えば、米国FRBが決定する政策金利は、世界経済の今後を占ううえで大きな指標となります。為替への影響はもちろんのこと、世界の株価などにも影響を与えます。翌日の東京市場が大きく動くことはよくあります。

米国がくしゃみをすれば、世界中が風邪を引くといっても過言ではありません。米国の景気が順調なら、貿易も金融も活発になり、世界的にも景気拡大が見込めます。もちろん日本の株価にも大きくプラスとなります。今後もグローバリゼーションが進めば進むほど、米国の影響力は高まる可能性があります。

📍 東京は、国際金融センターの順位が大幅ダウン

なお、2023年3月に公表された国際金融センターのランキングでは、上位3都市にニューヨーク、ロンドン、シンガポールが名を連ねました。アジア勢はトップ20に6都市がランキング入りを果たすも、東京は2020年の3位から大きくランクダウンし21位に。アジアのほかの都市との差も広がっています。その理由として、国内金融市場のシェアが高く国際的な取引が少ないことが挙げられています。今後を見据えると、国内取引だけではなく、国際的な取引を増やさなければ真の国際金融都市とはいえなくなるかもしれません。

グローバリゼーション
ヒト、モノ、カネが旧来の国や地域などの境界を越えて、活発に移動し、地球規模で政治、経済、文化が拡大、統合していく現象。さまざまな側面で各国・地域の相互依存関係が強まってきている。

国際金融センター
銀行、証券会社、保険会社など金融の中心的な役割を果たす企業が集まる都市、地域のこと。特に証券取引所が存在し、外国為替市場などの国際金融取引が活発に行われている場所が該当する。

▶ 最新（2023年3月）の順位・スコア

順位	都市名	スコア
1位	ニューヨーク	760点（前回1位）
2位	ロンドン	731点（前回2位）
3位	シンガポール	723点（前回3位）
4位	香港	722点（前回4位）
5位	サンフランシスコ	721点（前回5位）
6位	ロサンゼルス	719点（前回7位）
7位	上海	717点（前回6位）
8位	シカゴ	716点（前回12位）
9位	ボストン	715点（前回14位）
10位	ソウル	714点（前回11位）
11位	ワシントンDC	713点（前回15位）
12位	深圳	712点（前回9位）
13位	北京	711点（前回8位）
14位	パリ	710点（前回10位）
15位	シドニー	709点（前回13位）
16位	アムステルダム	708点（前回19位）
17位	フランクフルト	707点（前回18位）
18位	ミュンヘン	706点（前回24位）
19位	ルクセンブルク	705点（前回21位）
20位	チューリッヒ	704点（前回22位）
21位	東京	703点（前回16位）

出典：国際金融センターインデックス（GFCI）
※英国のシンクタンクであるZ／Yenグループが、2007年より毎年2回（3月および9月）に公表

2023年3月に東京は、2022年の16位からランクを5つ下げ21位になりました。

金^{ゴールド}の価値は下がらない？

世界情勢、金利、物価変動に影響を受けやすい

　金が値上がりする理由はいくつかあります。まず金は世界情勢が不安定になるほど価格が上昇する傾向にあります。昔から「有事の金」といわれますが、実際に、アメリカとソ連の冷戦下やイラク戦争の際には金の価格が上がりました。

　2つ目に、金利との関係があります。金はあくまで現物資産のため、保有していても利息は付きません。そのため、金利が高いときには金価格は下がる傾向にあります。景気が悪くなると、各国の中央銀行は金利を下げて景気を刺激します。金利がゼロに近いなら金で持っていても変わらないため、価格が上昇します。

　3つ目に、物価との関係があります。物価が上昇すると貨幣価値は低下します。一方、金はインフレに強いとされ、物価の上昇に金価格も連動して上がる傾向があるため、価値は目減りしません。

　ほかにも、財政問題などで通貨不安が強まると金は買われます。例えばリーマン・ショックが起きた際、金価格は上昇しました。あとは需要の増加です。新興国等の経済成長に伴って金需要は増加します。各国政府が外貨準備として（為替介入の資金として使用される）金購入を増やすこともあります。

今後も価格は下がらないことが予想される

　2000年以降、中長期に見て金価格は上昇しています。考えられる要因として、近年ではコロナ・ショックやウクライナ紛争があります。

　金よりも希少な金属としてプラチナがあります。かつては金よりも高価でしたが、2015年に金の価格が逆転しました。プラチナは需要の7割が産業向けで、景気停滞によって需要が減少したことも要因です。しかし、その後も金価格は上がり続け、価格差は広がっています。

　金の産業需要は約1割で、8割近くが宝飾や資産としての需要です。当分はインフレの収束が見込めず景気動向は不透明なため、今後も金の価格低下は考えづらいでしょう。

第 3 章

金融と経済

金融と経済は密接に結び付いています。景気がよくな
ればモノが売れ、企業に入るお金が増えます。すると
事業や人に積極的に投資して、市場にお金が回るよう
になります。景気が悪くなれば正反対のことが起こり、
お金はどんどん回らなくなるのです。本章ではそう
いった金融と経済の関係について解説します。

Chapter3 01

好景気・不景気と景気循環

好景気なときがあると思えば、不景気になるときもあります。これまで人類は幾度となく好景気、不景気を繰り返しつつ、長い目で見れば経済成長を遂げてきました。こうした流れは景気循環をもとに示すことができます。

好況と不況を繰り返しながら経済成長を遂げる

　経済は時間とともに成長していきますが、実際には単純な上り調子ではなく、好況期と不況期を繰り返しながら上昇していきます。これを景気循環と呼んでいます。

　横軸に時間tを、縦軸に国民所得Yをとると、景気循環は右ページのような右上がりの波線グラフになります。景気循環の波は、その周期によって主に4つが考えられています。それぞれ提唱者の名前をとって呼ばれます。

①キチンの波

3〜4年周期で起こる景気循環です。企業が在庫投資を増加させる周期によって起こると考えられています。

②ジュグラーの波

7〜10年周期で起こる景気循環です。原因は、企業の設備投資の増減にあると考えられています。中心的な景気循環といわれ、主循環と呼ばれることもあります。

③クズネッツの波

約20年周期で起こる景気循環です。原因は、建設投資の増減にあると考えられています。約20年で建物の建て替えが発生するためです。

④コンドラチェフの波

約50年周期で起こる景気循環です。原因は、シュンペーターが主張した技術革新にあるとの説が有力です。技術革新の例として、産業革命時の紡績機・蒸気機関、自動車の発明、コンピュータの発明などが挙げられます。

　こうした景気循環を繰り返しながら、日本経済はもとより世界経済も発展してきたのです。

景気循環
経済活動の拡張と収縮の過程。一定の周期で繰り返されていることから景気循環と呼ばれている。

国民所得
ある一定期間内に国民が稼いだ所得の合計額のこと。国民純生産（NNP）から間接税を差し引き、補助金を足し合わせることで求めることができる。経済活動で生産された付加価値の総額（GDP）として捉えることもある。経済学ではYieldの略でYが使われる。

在庫投資
企業が保有する在庫が一定期間にどれだけ増加したかを表す数量のこと。

シュンペーター
オーストリア生まれの経済学者。企業が断続的に行うイノベーションによって経済発展はもたらされるという理論を構築した。オーストリアの大蔵大臣、銀行頭取、ハーバード大学教授などを歴任した。

▶ 景気循環の波

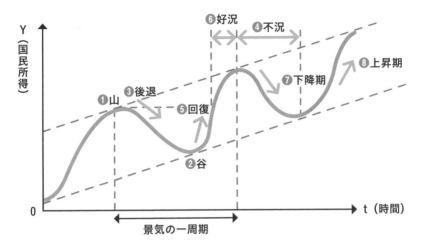

好不況を繰り返しながら、世界は経済成長を遂げていく。

【景気循環における基本用語】

- **❶山**：景気の上昇から下降への転換点を指す
- **❷谷**：景気の下降から上昇への転換点を指す
- **❸後退**：山を越えて下り始める部分が該当する
- **❹不況**：下り始めてから谷に至る部分が該当する
- **❺回復**：谷を過ぎて、再び上り始める部分が該当する
- **❻好況**：以前の山の水準を越えて上り続ける部分が該当する
- **❼下降期**：山から谷への時期を指す
- **❽上昇期**：谷から山への時期を指す

これら景気循環における基本用語も押さえておきましょう。

技術革新
新しい生産方法の投入、新市場の開拓など、経済活動の領域において従来とは異なった新しいやり方を行うこと。これをシュンペーターはイノベーションと呼んだ。現在では技術の発展による新局面などを示す。

マクロ経済学

経済学には大別してマクロ経済学とミクロ経済学があります。このうちマクロ経済学は、経済の動きを全体で捉えるものです。日本全体、世界全体の経済を捉えるうえで重要な学問であり、さまざまな分析で利用されています。

マクロ経済学はケインズにより確立された

マクロ経済学は、一国もしくは世界全体の経済の動きを捉える学問です。1936年の**ジョン・メイナード・ケインズ**の著書『雇用・利子および貨幣の一般理論』により確立されました。

ジョン・メイナード・ケインズ
イギリスの経済学者。不況や失業を克服するためには、政府がさまざまな政策手段を駆使する必要があると考え、ケインズ理論を構築した。ケインズ理論を採用した例として米国のニューディール政策がある。

マクロ経済学では、家計（消費者）、企業（生産者）、政府、海外といった大きなくくりで経済主体を設定して、社会全体において国民所得や雇用、生産などがどのように決定されていくのかを分析します。

国の経済には、財市場・貨幣市場・労働市場という3つの市場があります（P.18参照）。このうち財市場の理論についてここで簡単に紹介しましょう。財とは商品やサービスのことです。

財の総需要、総供給から経済・景気の安定化を図る

財市場においては、ある国の財の総需要と総供給をもとにして、実際の国民所得が決まると考えます。総需要とは、消費＋投資＋政府支出＋純輸出の合計で表せます（式にすると右ページ上のようになります）。総供給とは、その国で生産して供給できる財の合計です。

均衡国民所得
経済全体の生産物に対する総需要と総供給が一致したところの生産量のこと。

総供給は、総需要とのギャップを埋めるように企業によって調整されると考えます。総需要と総供給が一致したところが実際の国民所得（均衡国民所得）になります。このとき総供給は国民所得と一致します（右ページの2番目の式）。需要が拡大すれば供給量も増え、国民所得も増加します。そこで、総需要を増やそうとするのがマクロ経済学の基本的な考え方です。

それには、消費・投資・政府支出・純輸出のいずれかを増やせばよく、政府は財政政策や金融政策を行います。

▶ 財の総需要の式

$$\underset{\text{総需要}}{\text{Yd}} = \underset{\text{消費}}{\text{C}} + \underset{\text{投資}}{\text{I}} + \underset{\text{政府支出}}{\text{G}} + (\underset{\text{輸出}}{\text{EX}} - \underset{\text{輸入}}{\text{IM}})$$

▶ 財の総供給は国民所得と一致する

$$\underset{\text{総供給}}{\text{Ys}} = \underset{\text{国民所得}}{\text{Y}}$$

総需要とはその国の消費・投資・政府支出・純輸出の合計です。総供給とは国内で生産された財の合計で、すなわち国民所得となります。

総需要（Y demand）：その国の財の需要の総計
消費（Consumption）：個人による需要
投資（Investment）：企業の生産に使う需要
政府支出（Government expenditure）：政府の消費と投資
純輸出：輸出（EXport）－輸入（IMport）
総供給（Y supply）：その国の財の供給の総計
国民所得（Yield）：国民が稼いだ所得（P.60 参照）

▶ 総需要と総供給をもとに均衡国民所得が決定される

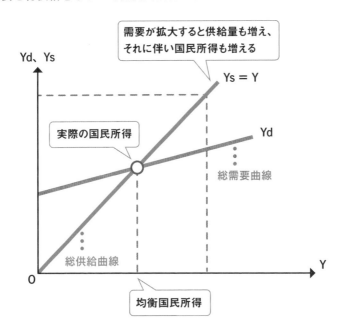

需要が拡大すると供給量も増え、それに伴い国民所得も増える

Yd、Ys

Ys = Y

実際の国民所得

Yd

総需要曲線

総供給曲線

O

Y

均衡国民所得

横軸に国民所得（Y）をとると、総供給（Ys）と国民所得が一致するように、総供給曲線は 45 度の線になるので「45 度線分析」という。総需要（Yd）曲線の傾きは 1 より小さい。

Chapter3 03 ミクロ経済学

ミクロ経済学では、個人（家計）や企業を対象とし、それらがどのように行動し、市場において価格や数量がどのように決定されるかを分析します。全体ではなく、個々の行動を分析し、効率的な経済を考えていきます。

経済学はアダム・スミスから始まった

ミクロ経済学は1776年の**アダム・スミス**の著書『国富論』に始まるといわれています。背景には社会的に限られた資源を最適に配分しようという考え方があります。

ミクロ経済学では、経済の動きを家計（消費者）や企業（生産者）といった主体がどのように行動し、市場において財の価格や数量がどのように決定されるのかを分析します。

財を購入する主体が消費者、生産・販売する主体が生産者、取引する場が市場です。1つまたは2つの財をもとにシンプルに考え、市場での価格の決まり方、需要と供給の関係などを分析します。家計は**効用最大化**を、企業は**利潤最大化**を目指すと想定し、市場における価格決定の理論を構築しました。

市場には**完全競争市場**と**不完全競争市場**が存在します。完全競争市場とは、消費者、企業といった経済主体が多数存在する市場を指します。そこでは市場で価格が決定され、消費者や生産者はその価格を与えられたものとして行動します。不完全競争市場は、独占、寡占といった状態が該当し、適正だった価格が不当に上がります。

不完全競争市場では資源が最適に配分されないため、政府が市場に介入したほうが望ましいこともあります。そのため、ミクロ経済学では、家計と企業だけではなく、**政府が供給する財**（**公共財**）なども取り扱います。

ミクロ経済学から、産業組織論や公共経済学などさまざまな分野が派生しました。ミクロ経済学もマクロ経済学も土台は理論ですが、あらゆる観点で現実に応用されています。

アダム・スミス
イギリスの哲学者、経済学者。著書『国富論』において、個々の人間が各自の利益を追求することで、社会の富を増大させることを説いた。イギリス古典派経済学の祖であり、経済学の父とも呼ばれる。

効用最大化
家計が限られた予算の中でモノを購入し、その際の満足度（効用）を最も高めるにはどう選択すればよいかを考えること。予算の範囲で効用が最も高くなる財の組み合わせを最適消費という。

利潤最大化
価格など与えられた条件をもとに、企業がいかに利益を最大化させるかという課題。ミクロ経済学では、利潤＝収入－費用＝財価格×生産量－費用の計算式をもとに利潤最大化を考えていく。

▶ マクロ経済学とミクロ経済学の比較

	マクロ経済学	ミクロ経済学
概念	経済全体の動向を研究対象とする	人びとがどのように意思決定を行うかを考える
考え方	社会全体が成長するために、必要な資源の総量をどうすれば増やせるかを考える	経済で生産できる産出量を一定としている
経済政策への考え方	ときには財政政策や金融政策をもとに市場に介入することもあり得る	原則、政府は市場に介入すべきではない。政府の役割は限定的

▶ 市場の価格の決まり方（需要供給曲線）

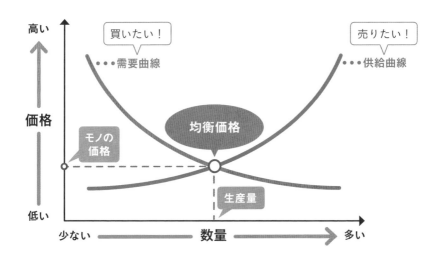

価格と生産量の関係を表した曲線を需要供給曲線という。需要曲線と供給曲線が交わる価格を均衡価格といい、「売りたい」と「買いたい」が均衡した点がモノの価格となる。

公共財

道路、公園、消防、警察、国防などが該当する。税金など対価を支払わない人の利用を排除できない「非排除性」、同時に多くの人によって消費可能である「非競合性」という2つの特徴を有する財。

Chapter3
04

実物経済と金融経済

実物経済とは、日常生活の中でモノを買ったりした際に対価としてお金を支払うことが該当します。それに対し、株式などの投資は金融経済です。金融経済のほうが、規模がはるかに大きいのが特徴です。

GDP
国内総生産（Gross Domestic Product）。GDPにより、国ごとの経済活動の規模・大きさを量ることができる（P.68参照）。

貿易収支
一定期間の輸出額と輸入額の差額。輸出額のほうが輸入額を上回っている場合を貿易黒字、輸出額よりも輸入額のほうが上回っている場合を貿易赤字という。毎月財務省が貿易統計で発表する。

消費者物価指数（CPI）
Consumer Price Index。総務省が毎月公表する、消費者が購入するモノやサービスなどの物価の動きを把握するための統計指標。金融政策の判断材料としても利用され、公的年金の給付水準の算定にも利用される。

金融自由化
銀行、証券会社、保険会社などの業務に対する規制を緩和し、自由化を図ること（P.88参照）。

お金のやり取りの多くは実物経済が占めていた

　ふだんの買い物、旅行、イベント。日常において私たちが行う活動にはさまざまなお金のやり取りが生じます。これを実物経済もしくは実体経済と呼びます。経済の実態を示す経済統計の多くは、実物経済の姿を示すものです。GDP、貿易収支、消費者物価指数（CPI）といった各種経済統計で、日本経済の実態を把握することができます。

　これに対して、資産運用にお金を使うことを金融経済と呼びます。金融経済では、株式投資をはじめ、多くの金融商品をもとに運用が行われています。物質的な商品やサービスを取引することなく、売買時の価格の変動により利益を得ることができます。

金融自由化以降は金融経済が拡大

　1980年代頃までは、金融商品の幅もそこまで広くなく、お金のやり取りの多くは実物経済が占めていました。金融自由化のあと金融商品は多様化します。経済活動がグローバルになり、金融経済が実物経済以上に拡大して、実物経済に与える影響も非常に大きくなってきています。

　それが現実化したのが、リーマン・ショックに伴う世界的な金融危機です。リーマン・ショックとは、米国の投資銀行であったリーマン・ブラザーズ・ホールディングスが2008年9月15日に経営破綻したことをきっかけとした、世界規模の金融危機の総称です。

　100年に一度といわれた金融危機ですが、今後もこうした事象が発生する可能はおおいにあるといえるでしょう。

▶ 実物経済と金融経済

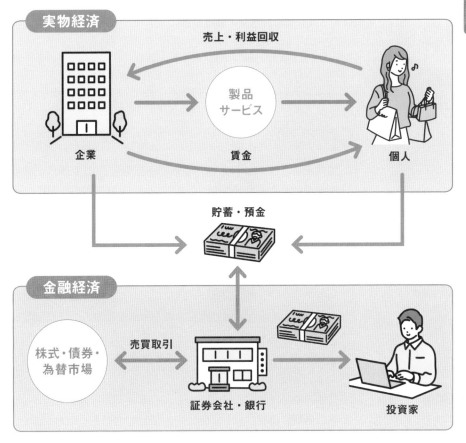

日常において私たちが行うさまざまなお金のやり取りを実物経済といい、お金を運用するための資産運用としてお金を使うことを金融経済という。

👍 ONE POINT

リーマン・ショックが世界金融危機の引き金に

リーマン・ブラザーズは約6,000億ドルの負債を抱え、米国史上最大の倒産となりました。その結果株価も暴落、日本でも2008年9月12日の日経平均株価終値は12,214円だったものが、同年10月28日には6,994.9円まで下落しました。当然景気は悪化し、実物経済も冷え込みました。世界的金融危機を引き起こしたこの出来事は、the global financial crisis とも呼ばれています。

Chapter3
05

GDPと経済の関係

GDPは、国内で一定期間内（通常1年間）に生産された付加価値の総額を示すものです。これは、国内における最終生産物の合計でもあり、その国の経済の規模を表しています。日本は2023年に世界第4位になる見通し。

GDPとは国内で生み出された付加価値の合計

　国内総生産（GDP）とは、国内で一定期間内に生産した総生産額から中間生産物（生産のために用いられた原材料など）を差し引くことで求められます。いわば、国内総生産は国内で一定期間内（通常1年間）に生産された付加価値の総額です。

　例えば、右ページの図では小麦・小麦粉・パンの3つの生産物がありますが、それぞれ濃い色の部分が付加価値です。3つの付加価値の合計は、最終生産物（図ではパン）の価値に等しくなりますので、国内総生産は国内における最終生産物の価値の総額ということもできます。

　GDPに含まれるのは原則として市場で取引された価値です。例えば、介護施設が行う介護サービスは含まれますが、家族による介護労働は含まれません。ただし、帰属計算と呼ばれますが、農家の自家消費分のように例外的にGDPに含むものがあります。

名目GDPに物価変動を考慮したものが実質GDP

　帰属計算分も含め金銭で換算したGDPを名目GDPと呼び、その国の経済規模の指標として、大きいほど経済力があるとみなされます。IMFによれば日本はドルベースの名目GDPで見て世界第4位になる見通しです（2023年10月時点）。

　実質GDPは、物価変動による影響を取り除き、生産された商品やサービスの本当の価値を算出したGDPのことです。実質的な生産物の価値を表しているため、経済成長率を確認するときなど、実体的な経済活動の規模を探る場合には名目GDPよりも実質GDPを用いたほうが消費の増加分を正しく評価できるとされています。

中間生産物
最終生産物を生産するために使用された原材料、燃料、部品などが該当する。

最終生産物
最終的に消費される生産物。パンや自動車などが該当する。

帰属計算
財・サービスの取引で、実際には市場でその取引が行われていないにもかかわらず、あたかも取引が行われたかのようにみなして計算すること。

自家消費
農家が作る生産物のうち、自分の家で消費する部分。それを市場で取引したらいくらになるかを計算してGDPに算入する。

▶ GDP計算の考え方

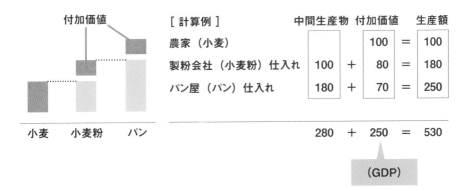

[計算例]	中間生産物		付加価値		生産額
農家（小麦）			100	=	100
製粉会社（小麦粉）仕入れ	100	+	80	=	180
パン屋（パン）仕入れ	180	+	70	=	250
	280	+	250	=	530

（GDP）

小麦　小麦粉　パン

パンを作る際、まず小麦が必要である。小麦は新しく作られたものであるため、その価値100はすべてGDPに計算される。小麦から作られた小麦粉の付加価値は、価格が上乗せされた80の部分が該当する。小麦粉をもとにパン屋さんが作ったパンの付加価値は、価格が上乗せされた70の部分が該当する。この結果、パン1つをとった場合のGDPは100 + 80 + 70 = 250となる。なお、この250は、最終生産物であるパンの価値250と同じになる。

▶ 世界における名目GDPランキング上位10位（2022年）

順位	国名	名目GDP	順位	国名	名目GDP
1	アメリカ	25,464,475	6	イギリス	3,070,600
2	中国	18,100,044	7	フランス	2,784,020
3	日本	4,233,538	8	ロシア	2,215,294
4	ドイツ	4,075,395	9	カナダ	2,139,840
5	インド	3,386,403	10	イタリア	2,012,013

単位：百万US$
出典：IMF（International Monetary Fund）

国の経済規模を示す名目GDPは、市場価格でモノやサービスの付加価値を評価するので、物価が上がると上がります。しかし物価の上昇は必ずしも経済の拡大ではないため、物価の影響を除いた実質GDPで、その国の経済成長の実態を知ることができます。

Chapter3
06

経済指標とはなにか

経済指標には、景気、金利、雇用、物価、貿易などに関するものがあり、経済が拡張しているのか減退しているのかなどを量ることができます。各国はその指標をもとに、政策決定を行っています。

経済指標から各国の経済状況がわかる

　経済指標とは、各国の公的機関などが公表する経済状況を確認する指標です。主な経済指標には、国内総生産（GDP）、経済成長率、景気動向指数、日銀短観などがあり、こうした経済指標をもとに、その後の国の政策が判断されています。

　P.68で説明したGDPは生産面から見た経済規模の合計です。これを家計消費など支出面から見たものを**国内総支出（GDE）**といい、給料や収益といった分配面から見たものを**国内総所得（GDI）**といいます。同じ国内経済を3つの側面から見たものなので、GDPとGDI、GDEは同じ金額となります。これを「三面等価の原則」と呼びます。

経済成長率・景気動向指数・日銀短観

　経済成長率とは、一定期間のGDPの伸び率で、国の経済がどの程度拡大したかを示す指標となります。先進国よりも伸びしろがある**新興国**のほうが高い傾向があります。

　景気動向指数は、景気の状況と変化を知る指標です。生産、雇用など複数の指標を統合して内閣府が作成し、毎月公表しています。先行指数・一致指数・遅行指数の3つがあり、景気の先行きを示す先行指数、現状を示す一致指数、遅れて過去を判断する遅行指数で、景気の動きや転換点を知ることができます。

　日銀短観とは、日本銀行が企業経営者に対してアンケート調査を行い、景気の見通しなどのアンケート結果を公表するものです。3月、6月、9月、12月の年4回調査が実施されています。企業経営者の肌感覚の状況を把握でき、特に**業況判断DI**が注目されています。

国内総支出（GDE）
Gross Domestic Expenditure。

国内総所得（GDI）
Gross Domestic Income。

新興国
先進国と比較して現在の経済水準はいまだ低いものの、今後高い経済成長が期待できる国のこと。中国、インド、ロシア、ブラジル、南アフリカをまとめてBRICSと呼ぶ。東南アジア諸国なども該当する。

業況判断DI
主要な企業の経営者が考える景気の現状と先行きを数値化したもの。日銀短観の中で最も注目される。DIはDiffusion Indexの略。

▶ 三面等価の原則

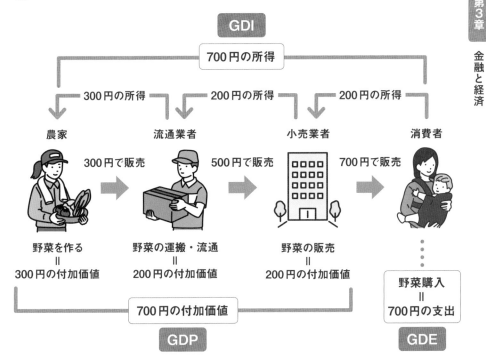

▶ 主な経済指標の見方・読み方

経済成長率	経済成長率（％）＝（今年のGDP−去年のGDP）÷去年のGDP×100 上記の計算式を用いて算出された数字で、経済の拡大スピードを見ることができる。名目GDPを用いた場合は名目経済成長率、実質GDPを用いた場合は実質経済成長率となる
景気動向指数	当該月のデータが3カ月前のデータと比較して拡大または縮小のどちらを示しているかを見る。景気拡大を示しているデータの数が全体の何％であるかを指数とし、50％を上回れば景気がよい状態、下回れば景気が悪くなっていると判断する
日銀短観	企業の経営者に景況感についてのアンケートをとり、業況がよいと回答した企業の割合から、悪いと回答した企業の割合を差し引いて求められる

　こうした経済指標はいずれも各国の状況を把握するために必要であり、景気、金利、雇用、物価、貿易の5つの経済指標が特に重要といわれています。

Chapter3
07

景気と株価

人びとの気の持ちようで景気も変わります。気分が明るくなれば消費も増加し、景気が上向くことで株価も上昇します。逆に気分が暗くなれば消費は減り、株価は下落します。

景気も気からで、株価が動く

病は気からという言葉は景気に関しても同じです。人びとの気分が明るくなれば消費も増加し、企業の業績も上がり、投資も増加します。こうして経済活動が活発化すると企業業績も堅調となることから、株価上昇につながるのです。

反対に、人びとの気分が停滞し、暗い気持ちになればお金も使わなくなります。消費が落ち込めば日本の経済にもマイナスとなり、それが企業業績に反映され株価が下落します。

株価は景気に先行して動く傾向にある

株価は、実際に1株あたり純利益（EPS）がどうなるかによって動く傾向があります。EPSから株価指標の1つであるPER（株価収益率）が算出できます。PERは、「株価÷1株あたり純利益」です。

このPERの式を少し変えると、「株価＝PER×1株あたり純利益」と表すことができます。つまり、株価はPERとEPSのかけ算といえます。PERは企業の将来への期待を、EPSは企業の業績を反映します。

好景気になると、企業の業績は上がり、EPSは上がります。さらに将来も好景気が続くと考えると、企業の成長を期待してPERも上がります。このようにして株価は上昇します。不景気になるとこれと正反対の動きが起こり、株価は下落します。

なお、株価は景気に先行して動く傾向があります。そのため、人びとの気持ちが高まりだした段階で株価はすでに上昇している可能性があります。業績などの結果は後からついてきます。このあたりの動きが察知できると、なぜ株価が変動するのかについて理解できるようになるでしょう。

企業業績
企業の事業活動による成果。売上や利益などが該当する。企業業績は、決算書を確認することで把握できる。決算書は、損益計算書、貸借対照表、キャッシュフロー計算書から構成される。

1株あたり純利益
Earnings Per Share。EPS＝当期純利益÷発行済株式総数。企業の最終的な利益である当期純利益が増加するか、発行済株式数が減少することで増加する。収益性を見る1つの指標である。

PER
Price Earnings Ratioの略で、株価収益率。株価が1株あたり収益率の何倍になっているかを示す。株価が割安か割高かを判断するための指標。一般的には、企業の今後の成長期待が高いほど高くなる傾向にある。業種によっても度合いが異なる。

▶ 景気と株価の関係

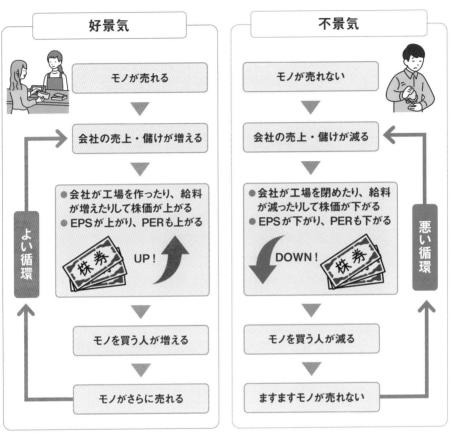

好景気と不景気では、流れは反対になる。いいときはいい循環が続き、悪いときはひたすら悪い循環が続く。

▶ EPS と PER

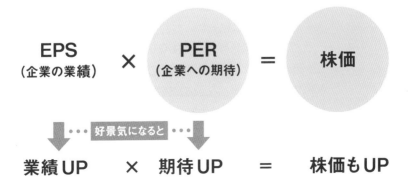

Chapter3
08

景気と金利

景気が回復し好況期となると、消費・投資は活発化します。資金需要が旺盛となることから、金利は上昇します。一方、景気が悪化すると消費や投資が抑制されます。その結果、資金需要は低下し、金利は低下します。

資金需要が高くなれば金利は上昇する

　景気が回復して、企業が積極的な設備投資に向かうと、一般的にその資金は銀行などの金融機関からの借り入れによってまかないます。この際に、資金需要が資金供給を上回るような状況となれば、金利が上がってでもお金を借りたいと思う人が増えます。その結果、金利が上昇していきます。

　景気過熱気味になりモノが飛ぶように売れると、結果的に物価も上昇します。設備投資の調達コストも上がるため、ますます資金需要が高まることになり、金利もさらに上がっていきます。

景気動向によって金利は変動する

　日本銀行をはじめ、各国の中央銀行は、インフレが過熱気味となった場合には、インフレ抑制のために金利を引き上げます。お金が借りにくくなるので投資抑制の効果が働きます。人びとは預貯金にお金を回すようになり、モノやサービスの購入意欲も減ります。

　その結果デフレになると、今度は中央銀行は金利を引き下げます。お金が借りやすくなり、投資や消費の拡大が期待できるので景気が回復しはじめます。

　このように景気循環（P.60参照）が起こります。時間を横軸にグラフにすると、景気が先行し、金利が後からついてくるような動きになります。P.72で説明したように株価は景気の動きを先取りしますので、株価→景気→金利の順に動きます。これはあくまでも一般論で、必ずしも現在の日本経済では当てはまらないことも知っておきましょう。

景気過熱
景気が常識の範囲を超えてよくなりすぎること。いわゆるバブル状態を指す。景気が過熱すると、不動産価格や株価などが本来の価値以上に高騰する。その後バブルが弾け、大暴落へとつながる可能性がある。

投資抑制
金利上昇により、資金需要が減ると投資は抑制される。資金の借り手も金利が高いと投資しづらくなり、不急不要の投資は減少する。こうした抑制を図りつつ、中央銀行は景気の安定化に努めている。

▶ 景気と株価、金利の関係

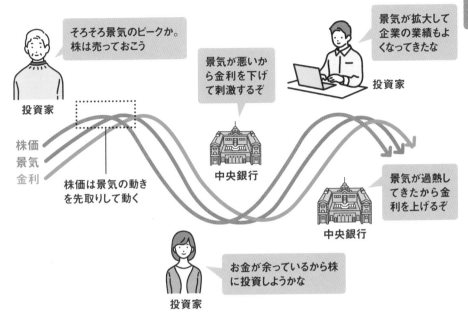

中央銀行は金融政策によって金利の引き上げ、引き下げを行っています。金融政策については P.86 で詳しく解説します。

👍 ONE POINT

資金需要と資金供給

資金需要とは、企業などが事業活動を行う際に必要な資金を調達しようとすることです。主に、運転資金、設備資金、ボーナス支払いなどにあてる資金などがあります。これらの資金は金融機関から調達するほか、株式・債券発行などでまかないます。資金供給とは、必要な先に資金を提供することです。日本では預金をもとにして金融機関が行うことが多いですが、株式や債券といった直接金融では、投資家がその役割を果たします。

景気と為替

景気がよくなると人びとの消費意欲が旺盛になり、資金需要が増して金利が上昇します。ほかの国と相対的に見て、日本の金利が魅力的となれば日本に資金が流入します。この結果、円高に振れる可能性があります。

景気がよくなると円高に

仮に日本の景気がよくなり、金利が上昇したとします。他国の金利に変化がない場合、日本の金利は相対的に魅力が増します。すると日本に資金が流入し、日本円が買われ、外国の通貨が売られることにつながります。

日本円が買われると外国通貨に対する日本円の通貨価値が上がります。この現象を円高と呼びます。仮に1ドル＝140円から1ドル＝120円になるとしましょう。原材料等を輸入している企業にとっては、同じ1万ドルの支払いでも日本円に換算すると140万円から120万円となり、安く仕入れられます。

景気が悪くなると円安に

一方で、自動車などの輸出産業では、同じ1万ドルの売上でも140万円から120万円に減ることになり、収益が悪化します。その結果、輸出産業の影響力が大きい日本では、日本全体で見たときの利益が減り、景気が落ち込む可能性が出てきます。

すると金利は低下します。他国の金利に変化がなければ、相対的に金利の高い他国に資金を預けたほうがよいと判断され、日本円が売られて外国の通貨が買われます。すると外国通貨に対する日本円の通貨価値が下がります。これを円安と呼び、円高と全く逆の現象が発生します。

円安により、輸出産業では売上の増加が、輸入産業では費用の増加が見込まれます。日本全体で見た場合には、輸出産業の増収効果が大きく景気が上向く可能性があります。

このように、為替は国内の景気循環の影響も受けており、金利が上がると円高に、金利が下がると円安になります。

外国通貨
外国の通貨全般。外貨とも呼ぶ。世界の基軸通貨は米ドルである。このほか主要な外貨として、ユーロ、英ポンド、スイスフラン、豪ドル、カナダドルなどが該当する。

輸出産業
生産の多くを輸出に向けている産業。日本では、第2次世界大戦前は綿業が、大戦後は繊維から鉄鋼、造船、自動車などへ変化していった。

輸入産業
海外で仕入れた資源、商品等を国内で加工、販売し利益を得る産業。日本では、衣類、液化天然ガス（LNG）、石油製品等が該当する。輸入企業では、円高になるほど費用を抑制でき、利益増加につながる。

■▶ 国内景気と金利、為替の動き

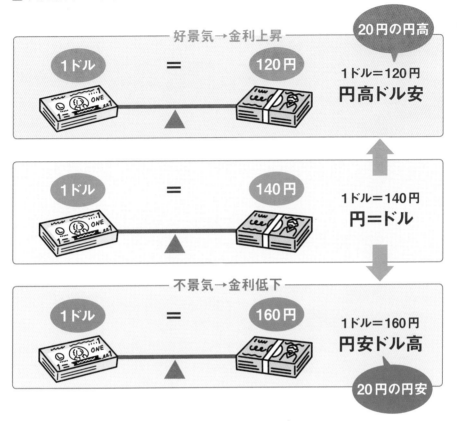

■▶ 為替と輸出産業・輸入産業への影響

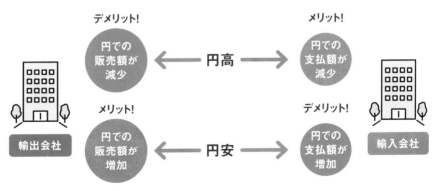

日本全体で見たときは、輸出産業の増収で円安のメリットのほうが大きい。

Chapter3
10

景気と物価

物価が上がる要因はさまざまで、急激な需要の高まり、人手不足に伴う人件費上昇などが挙げられます。また、景気が後退しているにもかかわらずインフレが起こる場合もあります。

📍 景気の動きと物価の動きは一様ではない

　世界の多くの国ではインフレが生じています。インフレには主に以下の4種類があります。

①ディマンド・プル・インフレーション

強い需要から物価上昇が発生することです。インフレ期待が強まると、「値上がりする前にモノを買っておこう」という気持ちとともに需要がさらに強まります。需要側に要因があるため、望ましいインフレ傾向といえます。

②コスト・プッシュ・インフレーション

輸入品の価格上昇や人手不足に伴う人件費の上昇など、供給側を要因とするインフレのことです。所得の増加を伴わない場合、実質的に購買力が低下するため望ましいインフレとはいえません。

③スタグフレーション

景気停滞期に物価が上がる現象です。本来、景気が後退すると購買力は低下し、物価が下がります。しかし、金融緩和政策などで世の中に出回る資金量が増えると、不景気であるにもかかわらず生活用品など一定の商品に需要が生まれ、物価が上がります。長期的に見れば景気回復への過程ですが、物価変動と景気回復のタイミングにズレが生じるとスタグフレーションとなります。そのほか、軍事費の増大による特需などによっても起こります。

④ディスインフレーション

インフレの状況において、中央銀行が金融引き締め政策などでインフレ抑制を行った結果、インフレは収束したけれどデフレにもなっていない状況です。賃金が伸びないことや、世界のどこからでも同じ価格で商品が買えることによる価格の均一化がディスインフレーションをもたらしているともいわれています。

▶ ディマンド・プル・インフレーションのしくみ

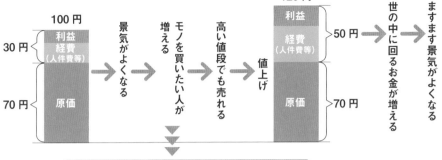

需要が増える形でのインフレ= Demand Pull 型

▶ コスト・プッシュ・インフレーションのしくみ

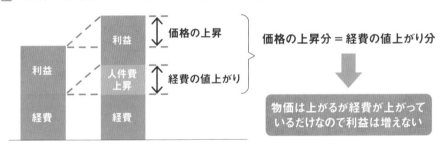

価格の上昇分 = 経費の値上がり分

物価は上がるが経費が上がっているだけなので利益は増えない

▶ スタグフレーションの例

景気後退で購買力が低下　→　金融政策で資金量が増加　→　景気は停滞しているのに物価が上がる

▶ ディスインフレーションの例

どこにいても同じ商品を同じ価格で買える　→　物価の均一化　→　物価が上がりも下がりもしなくなる

資産形成が高校の家庭科に

日本は資産の50%以上が預貯金に回っている

日本人の多くは、為替取引や株式取引に対して、「ギャンブルのようなもの」というマイナスイメージを持つ人が多く、資産運用に積極的に取り組む人は少数派です。

実際に、日本の家庭における資産の大半は、投資商品ではなく預貯金です。2023年3月末時点の家計の総資産のうち、預貯金は約54%、保険や年金準備金が約26%。リスク性資産の残高は15%程度です。

一方で、アメリカの家計におけるリスク性資産の残高は50%を超えており、家計の資産の約3分の1が株式に投じられています。

日本で資産運用が行われていない理由は、バブル崩壊による株式投資への不信感が根強くあること、そして国民の金融リテラシーの低さともいわれています。

日本では長いあいだ、子どもへの金融教育は行われていませんでした。家庭科の授業では「クレジットカードのリボ払いは危険です」といった、お金を借りることへの危険性を周知する内容に留まっていたのです。社会科の授業では、インフレ・デフレなどの景気変動や為替などの「しくみ」を中心に教えていますが、個人の資産形成レベルまで噛み砕かれていないのが現状です。

一方で、アメリカでは小学生から投資教育がなされています。それも、投資信託や株式投資といった実際に投資を行えるようになることが目的です。この差が、日本人とアメリカ人の金融リテラシーの差、そしてリスク性資産への投資割合の差に直結していると考えられています。

高校生を対象に資産形成に関する授業を導入

そこで、日本でも2022年度から、高校生の家庭科の授業で「資産形成」の重要性を教えるように学習指導要領が変更されました。ようやく、日本でも「資産は運用するもの」という認識が広がる素地が作られようとしています。すでに社会人の人は、自ら学びに行く姿勢が求められるでしょう。

第 **4** 章

金融政策と規制

各国には中央銀行が必ず1つ存在し、日本では日本銀行が中央銀行に該当します。中央銀行では通貨の管理を行うほか、民間銀行からお金を預かったり、民間銀行にお金を貸したりしています。本章では、そういった中央銀行の役割や金融政策が決められるしくみについて解説します。

Chaper4 01

中央銀行が担う３つの役割

わが国の中央銀行は日本銀行です。日本銀行は、発券銀行、銀行の銀行、政府の銀行という３つの役割を果たし、国の金融の中核を担っています。代表的な中央銀行には、FRB、ECB、イングランド銀行などがあります。

３つの役割とはなにか

各国に１つしかないのが中央銀行です。日本の中央銀行は日本銀行です。中央銀行はほかの金融機関とは異なり、３つの大きな役割を担っています。その３つとは、「発券銀行」「銀行の銀行」「政府の銀行」です。

発券銀行とは、銀行券を独占発行する役割です。日本では、日本銀行が法に基づいて日本銀行券を発行しています。紙幣と政府の発行した貨幣を供給できるのは日本銀行だけです。また、古くなった紙幣を回収し、新しい紙幣を供給しています。

銀行の銀行とは、民間の銀行にお金を貸したり、民間の銀行からお金を預かったりする役割を指します。私たち個人は中央銀行に預金口座を開設することはできません。中央銀行に預金口座を持てるのは、民間の銀行です。この口座を通じて民間銀行は中央銀行に預金を行うほか、中央銀行から資金を借りることができます。また、日銀ネットにより口座を通じて民間金融機関相互の資金決済も行われています。

政府の銀行とは、政府の資金を管理する役割を指します。日本銀行では、所得税や法人税などの国税や社会保険料、交通反則金などの歳入金を受け入れるほか、公共事業費や公的年金の歳出金を支払うなどといった国庫金の事務を行っています。また、国債の発行や国債元利金の支払いなど国債に関する事務や、外国為替市場における為替介入の事務も政府から委託されています。

主な中央銀行には、日本銀行のほか、イギリスのイングランド銀行などがあります。また、米国のFRB、ユーロ圏の金融政策を担うECB（欧州中央銀行）も中央銀行と同等の機関です。国もしくは地域の金融の中核を担っています。

日本銀行券
日本銀行が日本銀行法に基づいて発行する紙幣。現在発行されているものは1,000円、2,000円、5,000円、1万円の４種類。

日銀ネット
日本銀行金融ネットワークシステム。日本銀行と民間の金融機関とのあいだの資金や国債の決済をオンライン処理で行うためのネットワーク。

国庫金
国（政府）の資金。国庫金には３つある。歳入金は国税や社会保険料等、国が受け入れる国庫金。歳出金は年金等、国から支払われる国庫金。国の歳入歳出とはならない保管金等は歳入歳出外現金と呼ばれる。

ECB
（欧州中央銀行）
European Central Bankの略。ユーロ通貨圏（ユーロ圏）である20カ国の統一的な金融政策を担っている。

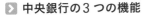
▶ 中央銀行の3つの機能

銀行の銀行

中央銀行

各行の預金口座

民間銀行　　民間銀行

発券銀行

中央銀行 → 市場

政府の銀行

税金など

中央銀行

政府預金

国民

財務省は、新一万円券・新五千円券・新千円券の発行を発表しています。新紙幣は2024年度上期をめどに発行されます。

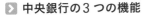

👉 ONE POINT

破れた紙幣は交換できる？

破れたり焼けてしまった紙幣や、摩耗したり変形した硬貨などは、例えば残っている面積が3分の2以上の場合は全額、5分の2以上3分の2未満の場合は半額として引き換えなど、一定の引換基準に応じて新しいものと引き換えが可能です。破れてしまった紙幣を銀行に持っていけば、新しい紙幣に交換してもらえます。日本銀行でも交換してもらえますが、郵便局（ゆうちょ銀行）では交換できません。

Chaper4 02

日本銀行のしくみ

日本銀行の重要な意思決定は、政策委員会で行われています。政策委員会は日本銀行の最高意思決定機関であり、9人のメンバーによる多数決により方針が決定され、それにしたがって日本銀行の業務は執行されています。

政策委員会が日本銀行の重要な意思決定を行う

日本銀行法
日本銀行が日本の中央銀行として、銀行券の発行を行うこと、通貨および金融の調節を行うこと等を定めた法律。日本銀行の独立性とその意思決定の透明性を高めるために1997年に改正された。

政策委員会
日本銀行の最高意思決定機関。政策委員会は、総裁、副総裁（2人）および審議委員（6人）で構成され、多数決で意思決定を行う。総裁、副総裁および審議委員の任期は5年で、再任されることもある。

金融政策決定会合
政策委員会の会合のうち、金融政策の運営に関する事項を決定するもの。金融市場調節方針、金融政策手段、経済・金融情勢に関する基本的見解等の事項を決定する。

日本銀行は、**日本銀行法**に基づく財務省所管の認可法人です。資本金は1億円で、そのおよそ55％が日本政府、45％が民間という出資構成になっています。

日本銀行の組織の中で、最も重要な役割を担うのが**政策委員会**です。9人の政策委員会のメンバーは、衆議院および参議院の同意を得たうえで内閣により任命されます。日本銀行法第15条により、政策委員会の決定を要する事項は決められています。

金融政策の運営に関する事項を決定する会合を**金融政策決定会合**と呼び、年に8回（月によっては2日間）程度開催されます。そこでは、先行きの経済・物価情勢についての見通しやリスク要因を分析し、金融政策運営についての考え方を整理した「経済・物価情勢の展望」（展望レポート）を、年4回（1月・4月・7月・10月）公表しています。

金融システム関係、国際金融業務、予算などの内部管理関係等を決定する会合は通常会合と呼ばれています。原則として週に2回開催されます。

日本銀行では、本店に12局2室1研究所を設けているほか、32の支店と14の国内事務所、海外には7の海外駐在員事務所を設置しています。

支店等では、中央銀行業務を担います（P.82参照）。このほか、地域金融機関へのヒアリング等を行い経営実態の把握に努めるなど、地域の金融経済情勢について調査や分析を行っています。

各海外駐在員事務所では、海外の中央銀行等との連絡、調整や海外の金融経済の調査・分析などを行っています。

▶ 日本銀行の組織図

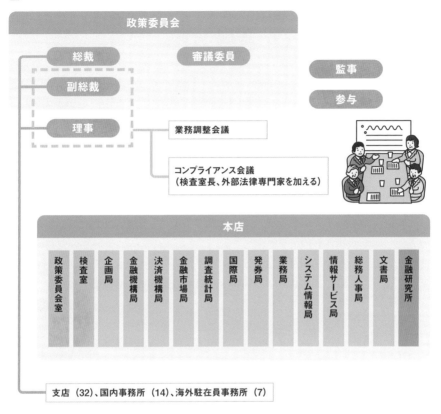

▶ 政策委員会の議決が必要な事項（日本銀行法第15条）

金融政策の運営に関する事項（第1項）
- ●基準貸付利率
- ●預金準備率
- ●金融市場調節方針
- ●金融政策手段（オペレーションの スキーム、担保の種類等）
- ●経済及び金融の情勢に関する基本的 見解等

その他の事項（第2項）
- ●金融システム関係 （特融、考査実施方針等）
- ●国際金融業務 （海外中央銀行への信用供与等）
- ●内部管理関係（予算・組織等）
- ●報告書・規程等（国会報告・定款等）
- ●委員会が特に必要と認める事項

日本銀行というと、金融政策や日本銀行券 発行のイメージが強いですが、金融機関の 検査、決済システムの企画・立案、外国 中央銀行との連絡・調整など金融の中核と してさまざまな役割を担っています。

Chaper4 03

「公開市場操作」を中心に行われるさまざまな金融政策

金融政策は、中央銀行が物価の安定と経済成長を目的に行う、金利や通貨供給量を調節する政策です。日本では日本銀行がその役割を担い、公開市場操作等の手段を用いて、長短金利の誘導や資産の買い入れを行っています。

主な金融政策は3つ

日本銀行は、物価の安定を図るために、通貨および金融の調節を行っており、これにあたって金融政策が用いられます。伝統的な金融政策には「公定歩合操作」、「支払準備率操作」、「公開市場操作」の3つがあります。

公定歩合とは、日本銀行が民間の金融機関に対して貸出を行う際に適用される金利です。日本銀行がこの公定歩合を上げ下げすることを公定歩合操作といい、公定歩合を引き上げると民間の金融機関が貸し出す金利も上昇、お金が借りにくくなり景気に歯止めをかける作用があります。以前は金融政策の一翼を担っていましたが、金融の自由化により現在は行われていません。

日本銀行は、民間の金融機関に対して、預金の一定割合を準備金として日本銀行に預け入れることを義務付けています。この預け入れる割合を調整することを支払準備率操作(預金準備率操作)といいます。支払準備率を引き上げると、日本銀行に預けるお金の量が多くなり、市中に出回るお金の量が減ります。これにより、お金が借りにくくなることから金利は上昇します。支払準備率操作は1991年10月以来、行われていません。

買いオペレーションと売りオペレーション

現在行われているのは、日本銀行が民間の金融機関に対して国債などの売買を通してお金の量を調整する公開市場操作です。公開市場操作には、「買いオペレーション」と「売りオペレーション」があります。

買いオペレーションとは、日本銀行が民間の金融機関が保有する債券等を購入し、市場に資金を供給するものです。市場に出回

ETF
Exchange Traded Funds。日経平均やTOPIXといった株価指数などに連動するように運用される投資信託。証券取引所に上場しているため、株式と同じように取引できる。

J-REIT
日本の不動産投資信託(P.144参照)。証券取引所に上場しているため、株式と同じように取引できる。

ETF・J-REITの買い入れ
株価やJ-REIT価格を安定させ、押し上げる効果が期待できる。これにより、景気と株価の両面を刺激して消費を活発化させ物価の押し上げにつなげる狙いがある。

▶ 公開市場操作のしくみ

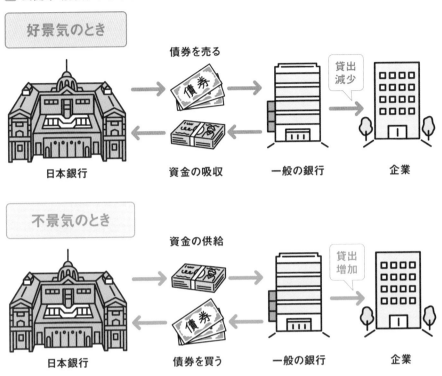

▶ 2023年7月に決められた日銀の金融政策の修正

長短金利操作の運用	● 長期金利の変動幅は「±0.5%程度」をめどとし、長短金利操作について、より柔軟に運用 ● 10年物国債金利について1.0%（0.5%から変更）の利回りでの指値オペを、明らかに応札が見込まれない場合を除き、毎営業日、実施

るお金の量が増えることで金利が低下し、景気を浮揚させる効果が期待できます。

　売りオペレーションとは、逆に日本銀行が保有する債券等を民間の金融機関に売り出します。市場に出回るお金の量が減少し金利は上昇、景気に歯止めをかける役割を担います。

　いまは買いオペレーションによって市場の貨幣供給量を増加させる量的緩和が行われています。国債だけでなくETF・J-REITの買い入れ、CP・社債買い入れなども行われています。

CP・社債買い入れ
企業の資金調達環境の安定化を図る目的で、CP（P.40参照）や社債を買い入れ、金利上昇を抑える。

かつては金融規制が金融機関の経営を安定させていた

金融規制と金融規制緩和

戦後、日本では銀行が金融システムにおいて重要視され、自由な競争が抑制されてきました。1990年代から2001年にかけて金融規制が緩和されて自由競争が促進され、欧米に並ぶ金融環境が整備されていきます。

金融規制によって日本経済は成長してきた

戦後、日本では金融規制により金融機関の自由な競争が抑制されてきました。資金不足による金利上昇を抑えるため、1947年に臨時金利調整法が施行され、預金や貸出の金利は金融当局の意図する水準に管理されていました。また、外国為替相場を安定させ外国への資金流出を抑えるため、1949年に外国為替及び外国貿易管理法が施行されました。

このほか、金融機関の経営を安定させ、資源配分の効率化を図るために業務分野規制が実施されます。例えば、普通銀行と長期信用銀行を分離する「長短金融の分離」、銀行と証券会社の兼営を禁止する「銀行と証券の分離」などです。

そして、金融機関全体を保護する護送船団方式により、金融機関を守る体制がとられます。この体制が戦後の日本経済を金融からうまく支え、高成長をもたらした側面はあります。

世界の動きを受けて日本でも金融自由化が進む

1980年代になると世界的に見て金融の自由化が進んでいきます。市場の自由度を高め、競争が促進されます。この背後には、コンピュータ技術の飛躍的進歩、金融取引や市場の拡大などがあります。グローバル化が進めば進むほど金融規制は不便となり、緩和が世界の流れとなりました。

日本でもこうした金融規制緩和の波が到来します。1994年に金利が自由化され、その後、長短金融の分離も解消されます。また、銀行と証券の分離に関しても、子会社の設立による相互参入が認められるなど、垣根が撤廃されていきます。株式委託手数料も自由化され、証券会社ごとに手数料が異なるようになりました。

長期信用銀行
略して長銀と呼ぶ。預金をもとにではなく、金融債を発行して資金を調達し、設備資金や長期の運転資金として貸し出すことを主な業務とした。バブル崩壊後の不況で経営破綻し、一時国有化後、新生銀行に改称した。

護送船団方式
経営状況が最も悪い金融機関に足並みをそろえ、過度の競争を避ける政策方針。金融の安定を図るために金融当局の指導のもと実施された。これにより、金融機関全体の存続と利益が保証された。

金融ビッグバン
フリー、フェア、グローバルを掲げ、銀行、証券、保険会社の業務規制を緩和し、国内金融機関の国際競争力向上を目指した。これにより、金融持株会社の設立解禁など自由化が進んだ。

▶ 日本版金融ビッグバンの流れ

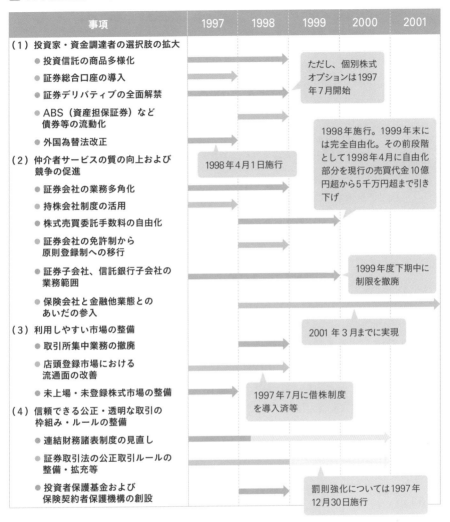

事項	1997	1998	1999	2000	2001
（1）投資家・資金調達者の選択肢の拡大					
● 投資信託の商品多様化					
● 証券総合口座の導入			ただし、個別株式オプションは1997年7月開始		
● 証券デリバティブの全面解禁					
● ABS（資産担保証券）など債券等の流動化					
● 外国為替法改正			1998年施行。1999年末には完全自由化。その前段階として1998年4月に自由化部分を現行の売買代金10億円超から5千万円超まで引き下げ		
（2）仲介者サービスの質の向上および競争の促進	1998年4月1日施行				
● 証券会社の業務多角化					
● 持株会社制度の活用					
● 株式売買委託手数料の自由化					
● 証券会社の免許制から原則登録制への移行					
● 証券子会社、信託銀行子会社の業務範囲			1999年度下期中に制限を撤廃		
● 保険会社と金融他業態とのあいだの参入					
（3）利用しやすい市場の整備			2001年3月までに実現		
● 取引所集中業務の撤廃					
● 店頭登録市場における流通面の改善					
● 未上場・未登録株式市場の整備		1997年7月に借株制度を導入済等			
（4）信頼できる公正・透明な取引の枠組み・ルールの整備					
● 連結財務諸表制度の見直し					
● 証券取引法の公正取引ルールの整備・拡充等					
● 投資者保護基金および保険契約者保護機構の創設			罰則強化については1997年12月30日施行		

銀行で保険販売ができるようになったのも金融規制緩和によるものです。こうした緩和の多くは金融ビッグバンと呼ばれる、橋本内閣が打ち出した金融大改革に基づき、日本の国際競争力を高めるために実施されました。

　その結果、生き残りをかけて金融機関同士が統合したり、インターネット証券が台頭するなど金融ビジネスは新しい時代へと進むことになりました。

インターネット証券
オンラインによる株式取引ができる証券会社。店舗を持つ必要がないことなどから、売買手数料を低く設定できる利点がある。

預金者や投資家は金融庁によって守られている

金融庁は、金融機能の安定を確保し、預金者や投資家の保護を行うとともに、金融の円滑化を図る役割を担っています。金融庁が整備するルールがあるからこそ、私たちは安心して預金や投資を行うことができるのです。

金融庁で行われる4つの業務

　金融庁は、金融におけるルールを作り、金融の円滑化および金融機能の安定を図る役割を担う組織です。金融庁では、大きく分けて4つの業務が行われています。

　1つ目は金融機関の検査です。私たちがふだんから安心して預金したり、投資したり、保険に加入できるようにするために、銀行や証券会社、保険会社などに対して検査を行い、健全性の検証や不正行為が行われていないかどうかを指導、監督しています。

　2つ目が証券市場の監視、監督です。この役割は金融庁の中にある証券取引等監視委員会が行っています。株価を吊り上げ不当な利益を得ようとする行為などを取り締まるほか、インサイダー情報をもとに売買する行為がないかどうかを監視する役割を担っています。また、上場企業が粉飾決算を行うなど、投資家の信頼を損なうような行為がないかどうかを監視する役割も担います。こうした不正を取り締まることで、市場が健全に機能する状況を作り出しています。

　3つ目は公認会計士に対する監査です。日本公認会計士協会がまとめた報告書を審査し、公認会計士が担当する企業において不正行為がないかどうかを監視しています。

　こうした検査、監督、監査のほかに、預金者や投資家を保護するための制度やルール作りも行っています。それが4つ目の、金融のセーフティネット構築です。例えば、預金保険制度によって、銀行など金融機関が破綻した場合でも預金者の預金が一定の範囲守られるしくみです。投資者保護基金によって、証券会社が破綻した場合でも投資家の資産は一定限度までは戻ってくるしくみです。

日本公認会計士協会
公認会計士法に基づき、公認会計士が自主規制機関として組織する協会。公認会計士および監査法人は協会の会員となることが義務付けられている。

預金保険制度
定期預金や利息の付く普通預金等は、預金者1人当たり、1金融機関ごとに合算され、元本1,000万円までとその利息が保護される。ペイオフ（payoff）ともいう。

投資者保護基金
顧客1人当たり、1,000万円まで補償される。国内で営業する証券会社には加入義務がある。

▶ 金融庁の立ち位置と役割

内閣府

金融庁

- 民間金融機関等に対する検査、監督
- 国内金融制度の企画、立案
- 民間金融機関等の国際業務に関する制度の企画、立案等

財務省

- 財政の健全性確保等の任務を遂行する観点から行う金融破綻処理制度および金融危機管理に関する企画、立案

証券取引等監視委員会

- 証券会社等の検査
- 課徴金調査
- 犯罪事件の調査

公認会計士・監査審査会

- 公認会計士試験の実施
- 日本公認会計士協会が行う「品質管理レビュー」の審査、検査

▶ 預金保険制度のしくみ

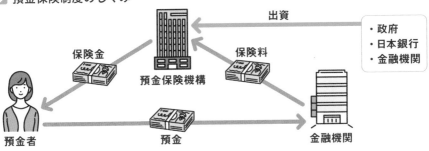

保険金 · 保険料 · 出資 · 政府 · 日本銀行 · 金融機関 · 預金保険機構 · 預金者 · 預金 · 金融機関

✏ ONE POINT

保険契約者の保護

保険会社が破綻した場合に備えた措置として、生命保険契約者保護機構や損害保険契約者保護機構が設立されています。生命保険契約者保護機構では、原則として生命保険会社の中で積み立てられている責任準備金の90%を限度に補償されます。一方、損害保険契約者保護機構では、保険の種類によって補償割合が異なります。例えば自賠責保険、家計地震保険に関しては破綻後も補償割合が100%となっています。

Chaper4

06

日本の金庫番と経理を担う財務省

財務省は、日本の金庫番として国の必要な予算を編成し、国全体の経済活動が円滑に回るような配分を行っています。その原資となる税制度の立案と企画、国債の管理を行うほか、ODAの予算決め等国際的な業務も行います。

📍 予算編成の流れ

財務省は、政府のお金にまつわる仕事を行う、いわば金庫番と経理の役割を担っています。その中でも最も重要な仕事といえるのが、国の予算編成です。例年、6月から7月にかけて、各省庁において必要となる予算を要求する概算要求の準備が行われ、8月下旬頃に財務省に提出されます。その後、財務省が各省庁にヒアリングを行い、本当に必要な予算かどうかを確認します。

12月中旬には財務原案が示されます。閣議に提出されてさまざまな交渉が行われて最終予算案となり、年明けの通常国会で、衆参両院の議決を経て次年度の国の予算が決定されます。国の予算は国全体の経済活動が円滑に回るように配分されます。

📍 税制度の企画・立案も行う

財務省は、国の予算の原資となる税制度の立案と企画、国債の管理も行っています。毎年度の税制改正は、その後の税制度を変更し、将来の日本の経済にも大きな影響を与えるものです。また、できるかぎり財政負担の軽減を図りながら、国債を発行し、消化するため、国債管理政策も行っています。

国際的な予算も財務省が決めます。それがODA（政府開発援助）の予算の枠組み決定です。かつて日本のODAは世界第1位でしたが、財政事情が厳しいこともあり、2023年には世界第3位となっています。このほか、世界の国々と協調しながら為替レートの安定に努めたり、貿易ルールや関税ルールを策定したり、密輸入を取り締まったりする役割も担っています。政府は経済の主体の1つであり、その予算を決める財務省が金融に与える影響は大きいものです。

予算編成
翌年度の予算計画を取りまとめること。国の予算、決算および会計に関する制度の企画・立案・作成等は財務省主計局が携わる。基本的な方針を決める予算編成権は内閣にある。

税制改正
社会情勢や経済環境の変化に伴い、税制度の改正を行うこと。毎年夏頃に各省庁や経済団体から税制改正の要望が提出され、12月までに要望の取りまとめが行われる。最終的に内閣で閣議決定。

国債管理政策
国債の発行、消化、流通、償還を確実かつ円滑に行い、中長期的な調達コストを抑えることを基本目標とする。

ODA
（政府開発援助）
開発途上国への資金の贈与や貸付、技術提供などを行う支援策。
Official Development Assistance。

▶ 予算編成が行われる過程

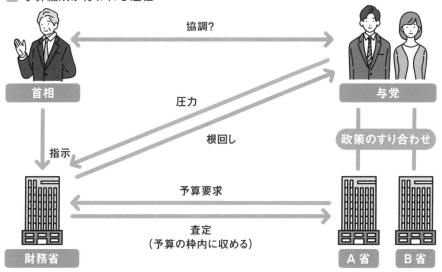

▶ 財務省の主な役割分担

大臣官房
財務省の所掌事務の総合調整、政府系金融機関に関する制度の調査・企画・立案等

主計局
国の予算、決算および会計に関する制度の企画・立案、作成等

主税局
内国税制度についての企画・立案、租税収入見積事務等

関税局
関税制度や関税に関する国際協定の企画・立案、税関業務の指導監督等

理財局
国庫制度、国債・地方債・貨幣の発行、日本銀行の業務・組織の適正な運営の確保等

国際局
外国為替に関する調査・企画・立案、国際機構に関する事務、海外投融資に関する事務等

▶ 2023年度の主な税制改正

改正事項	ポイント
新NISAの創設	一般NISAとつみたてNISAを一本化。つみたて投資枠と成長投資枠を創設
相続時精算課税制度の見直し	相続時精算課税制度における基礎控除（年110万円）の創設
相続税の計算上加算する生前贈与の期間延長	資産移転の時期に対する中立性を高めていく観点から、相続財産に加算する生前贈与の期間を3年から7年に延長
適格請求書発行事業者となる小規模事業者に係る税額控除に関する経過措置	免税事業者が課税事業者を選択した場合、消費税額の負担軽減を図るため、納税額を売上に係る消費税額の2割に軽減する激変緩和措置を3年間講ずる

金融機関により高い財務の健全性・経営規律が求められている

金融システムを守る国際ルール 「国際金融規制」

国際金融規制とは、国境を越えた世界的な金融規制です。バーゼル規制とも呼ばれ、世界の主要国の金融当局が協力して制定することで、世界の金融システムを健全に保つ役割があります。

バーゼル規制移行の流れ

バーゼル規制
世界的な金融危機の再発を防止するために、金融機関に対して課された規制のこと。国際的な活動を行う銀行の自己資本比率、流動性等を規制するための国際統一基準。

国際金融規制は**バーゼル規制**とも呼ばれ、世界の金融システムを健全に保つための国際ルールです。日本を含む多くの国における金融規制として採用されています。

最初の規制「バーゼルⅠ」は1988年に策定されました。国際的な銀行システムの健全性の強化および銀行間における競争上の不平等の軽減が目的です。日本では、1992年度末から適用されています。その後2004年に「バーゼルⅡ」に改定され、**自己資本比率**を算出する際のリスク計測が精緻化されました。日本では2006年度末以降に移行しています。

自己資本比率
自己資本をリスク・アセットで割ることで算出される。(P.96参照)。

金融危機を二度と繰り返さないために

2008年の世界金融危機に伴い、再発を防ぐこと、国際金融システムのリスク耐性を高めることを目的に、「バーゼルⅢ」が策定されます。自己資本比率規制の厳格化のほか、流動性規制、レバレッジ比率規制などが導入されました。

プルーデンス
prudenceとは用心深さ、慎重さという意味。

証券監督者国際機構
IOSCO とも呼ばれる。世界各国・地域の証券監督局および証券取引所などから構成されている国際的な機関。

また、金融システムの安定を目的とした政策を**プルーデンス**政策と呼びますが、個別の金融機関の経営の安全性や健全性を監視・監督し、破綻を未然に防ぐ政策（ミクロ・プルーデンス）だけでなく、金融システム全体のリスクの状況を分析、評価し、それに基づいて制度設計を行い、金融システム全体の安定性を維持する政策（マクロ・プルーデンス）も重視されるようになります。バーゼルⅢは2013年から段階的に実施され、2028年から完全施行される予定となっています。

保険監督者国際機構
IAIS とも呼ばれる。世界各国の保険監督当局によって構成される国際的な機関。

バーゼル規制は銀行関係の規制ですが、証券会社関係では**証券監督者国際機構**があり、投資家保護、不公正行為への対処、市場

▶ 国際金融規制の流れ

1988 ● **●バーゼルI策定**
銀行の自己資本比率の測定方法や、
達成すべき最低水準（8%以上）を策定

2004 ● **●バーゼルII策定**
自己資本比率を算出する際のリスク計測が精緻化

2007 ● 米国住宅バブル崩壊
2008 ● リーマン・ショック発生

2010 ● **●バーゼルIII策定**
自己資本比率規制の厳格化、急な資金の引き出しに備える流動性規制、
過大なリスクをとることを抑制するレバレッジ比率規制を策定

> 日本を含む世界各国で
> 段階的に実施

2013 ● バーゼルIIIの段階的な適用を開始

2028 ● バーゼルIIIの完全適用（予定）

の発展支援などのために国際的な指針を定めています。保険会社
関係では保険監督者国際機構があり、保険監督当局間の協力の推
進、保険監督・規制に関する国際基準の策定および導入促進など
を行っています。国際金融システムの監視機能強化や金融分野全
般にわたる基準は、金融安定理事会が設けています。

金融安定理事会
金融システムの監視
機能を強化するため
の組織。世界主要
国・地域の中央銀行
や金融監督当局、国
際金融機関等が参加
する。金融システム
の脆弱性への対応や
システム安定に向け
た活動等が行われて
いる。

世界の金融規制が
日本の経済に与える影響

世界の金融規制バーゼルⅢにより、これまで以上に金融機関への規制が厳格化されています。日本のメガバンクはすでに規制基準を満たしており、特に大きな影響はないものの、地域金融機関への影響が出る可能性はあります。

国際業務
金融機関においては、外国為替取引業務や海外事業展開支援などが該当する。海外送金や外貨両替、顧客企業の海外展開に向けた市場調査などを行う。

リスク・アセット
RWA、Risk-Weighted Assets。広義には元本割れなどのリスクがある資産を指し、リスク資産ともいう。狭義には自己資本比率を計算する際の分母となる。その場合、信用リスク（P.182参照）、市場リスク（市場動向による価格変動リスク）、オペレーショナルリスク（事務事故等で損失が生じるリスク）の合計から構成される。

メガバンク
日本では、みずほフィナンシャルグループ、三菱UFJフィナンシャル・グループ、三井住友フィナンシャルグループを指すことが多い。

野村ホールディングス
アジア最大の投資銀行・証券持株会社。

現状、日本経済への影響は懸念されていない

2028年のバーゼルⅢ完全実施に向けて、これまで以上に金融機関への規制が厳格化されます。2022年から段階的に実施される予定でしたが、新型コロナウイルス感染拡大に対応するため、日本では2023年3月期からの実施へと変更されました。

具体的には、国際業務を行う銀行では自己資本比率8%以上の規制を維持したうえで、リスク・アセットの算定方法を厳格化し、自己資本比率の計算方法をより保守的に見積もるようにします。

バーゼルⅢ規制は、メガバンクおよび野村ホールディングスに適用されますが、すでに規制基準を満たしており、特に大きな影響はないと想定されます。ただし、銀行が保有する国債はリスク資産と見なされるため、将来的に規制基準を満たさなくなる恐れがあります。

金利リスクのモニタリングの見直しが図られた

2019年3月31日から金利リスクのモニタリングにおける基準の見直しが行われ、海外営業拠点を持たない国内の地域金融機関への規制も厳しくなっています。

具体的には、金利リスクが自己資本の20%を超えていないかどうか金融庁にモニタリングされることになりました。中長期的に見て今後の金融機関の経営が見直され、場合によっては企業などへの貸出を厳しくしたり、保有株を売却するといった影響が出る可能性もあります。

日本経済にすぐに影響が出るわけではないものの、将来的に金利変動によるマイナスの影響が生じる可能性は否定できません。

▶ バーゼルⅢによって考えられる影響

バーゼルⅢではより健全性を求められる

| 自己資本比率 | **＝** | 自己資本 / リスク・アセット |

↓

国際業務を行う銀行は
8% 以上必要

今後、海外営業拠点を
持たない国内の地域金
融機関でも規制が厳しく
なる恐れがあります。

● 企業や個人への貸出債権
● 国債や株式といった金融資産 など

↓

バーゼルⅢではリスク資産への評価が
厳しくなる

↓

銀行によってはリスク資産が増え、自
己資本率が下がる恐れがある

↓

――― 対策として ―――

保有株の売却や、リスクのある企業への貸出を減らす（回収する）
銀行が出てくる可能性がある

【 バーゼルⅢでは国債はリスク資産 】

バーゼルⅢでは銀行が保有する国債は
リスク資産と見なされる。仮に長期金
利の上昇が生じた場合、国債価格の下
落につながり、その結果、自己資本の
積み増しを要求される可能性もある。
すると、自己資本比率を基準値に保つ
ため、国債売却が進み、国債価格が暴
落する危険がある。

金利リスク
金利水準の変動によ
り銀行が保有する資
産や負債の価値が変
動するリスク。

モニタリング
金融庁では、金融機
関の健全性の維持の
ため立ち入り調査に
基づくオンサイト・
モニタリング、ヒア
リングや資料提供に
基づき金融機関の資
金繰り等を把握する
オフサイト・モニタ
リングを行う。

金融ビッグバンが生んだ
日常の金融の変化

金融自由化で
消費者の選択肢が増加

　1996年から2001年にかけて行われた金融ビッグバンによって、大幅な規制緩和が進行し、自由競争への道を大きく広げることになりました。

　具体的には、ネット証券の参入、株式や債券、投資信託などの取引口座をセットにした証券総合口座の導入、個人向け外貨預金の解禁、銀行での投資信託の販売の解禁などです。

　今では、銀行、証券会社で生命保険や損害保険などの保険の取り扱いも行っており、銀行が証券会社からの委託を受けて、金融商品仲介業として、金融商品の取引勧誘や売買の取次も行えるようになっています。

　顧客目線からいえば、競争により手数料が下がったほか、魅力ある金融商品が増加したことで資産運用の幅が広がってきています。以前に比べて金融機関のプロと同様の情報が入手できるようになり、条件付きではあるものの株式の売買手数料が無料、投資信託の売買手数料も無料となるケースもでてきています。

金融商品が増加した分、
トラブルも増加

　その一方で、元本保証がない金融商品も増えており、トラブルになることも増えてきました。そのため、金融サービス提供法（P.28参照）や消費者契約法など消費者保護のためのルールが整備されました。

　解説してきた通り、金融ビッグバンが生んだ変化はさまざまで、いい面も悪い面もあります。中でも大きく変化したのは、「自分の資産は自分で運用する」「銀行に預けているだけではお金は増えない」といった私たちの意識でしょう。

　今後、私たちは老後の生活資金や日常生活で足りない分のお金について、個人で運用し、増やしていく工夫が求められています。政府は2001年から「貯蓄から投資へ」という方針を掲げており、2016年からは「貯蓄から資産形成へ」として続いています。21世紀は、国が国民の面倒を見るという時代が終わりを告げ、「自己責任の時代」に突入したことを意味しているのです。

第 5 章
金融機関の種類と役割

金融機関は銀行だけでなく、信用金庫や信託銀行、ゆうちょ銀行など多数存在します。本章では、私たちがふだん利用する普通銀行の役割や業務内容、証券会社や投資銀行のしくみなど、各金融機関についてそれぞれ解説します。

Chapter5
01

さまざまな種類がある金融機関

一般的には、銀行や信用金庫等を金融機関と呼びます。しかし広義には、証券会社や保険会社等も含めて金融機関と呼ぶことがあります。その違いを解説します。

金融機関は細分化されている

ふだん私たちが生活するうえで、金融機関はなくてはならない存在です。給料の振込、預金の引き出しなど、私たちは金融機関を介して日々の生活資金のやりくりを行っています。

民間の金融機関には、大きく分けて2つの種類があります。その違いは、預金の取り扱いがあるかないかです。預金の取り扱いがある金融機関として、銀行や信託銀行、信用金庫、信用組合、労働金庫、JA（農業共同組合）、ゆうちょ銀行などが挙げられます。

預金の取り扱いがない金融機関としては、証券会社、生命保険会社、損害保険会社、クレジットカード会社、**信販会社**、消費者金融、リース会社、**ベンチャーキャピタル**などがあります。各企業の詳細はこのあと解説します。

普通銀行に含まれるもの

このうち、銀行に関してはさらにいくつかの種類に分けることができます。ふだん利用する銀行を普通銀行と呼び、普通銀行には都市銀行（メガバンク）、地方銀行、第二地方銀行、外資系銀行、その他の銀行があります。

都市銀行は、東京など大都市に本店を構え全国各地で銀行業務を行う銀行です。大手上場企業など有名企業を中心に取引を行い、海外での業務展開も行っています。みずほ、三菱UFJ、三井住友、りそな銀行、埼玉りそな銀行が該当します。

地方銀行は地方都市に本店を構え、1つの都道府県を中心にその周辺で主に活動する銀行です。取引先は地元の上場企業や中小企業を中心とします。同じようなしくみを持つ銀行に第二地方銀行があります。地方銀行同様、地方都市に本店を構え、地域密着

信販会社
信用販売を行う。商品やサービスを購入する顧客の代金を販売会社に立替払いし、その後顧客から代金相当額の支払いを受けることで利益を得る会社。分割払いとすることで手数料を得ている。

ベンチャーキャピタル
高い成長率が期待できる未上場企業に株式などの投資を行い、資金面で事業拡大をサポートする企業。株式上場時に保有する株式を売却し利益を得る。投資先選定にあたっては高度の専門性が要求される。

相互銀行
主に中小企業などを顧客とし、1951年制定の相互銀行法に基づいて設立された金融機関。営業区域が制限され、外国為替業務ができなかった。現在は第二地方銀行として普通銀行の業務を行っている。

▶ 金融機関の分類

[経済主体の例]

▶ 金融機関の種類

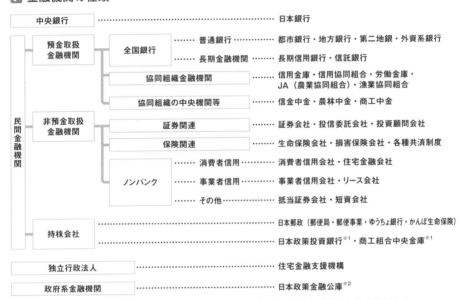

※1：2008年10月に株式会社化され、民営化の方向に進む　※2：2008年10月に政府全額出資の株式会社組織として発足

型の経営を行います。その多くはもともと相互銀行でした。

　外資系銀行は、日本国外に本店を構え、日本国内に支店を持つ銀行です。投資銀行業務を中心に行うケースが多く、企業の資金調達の支援やM&A支援などを行っています。なお、外資系銀行は預金保険制度の対象外です。

　このほかに、インターネット専業銀行や、スーパーやコンビニなどにATMを展開する流通系の銀行などもあります。さまざまなニーズに応え、銀行も業態を進化させているのです。

インターネット専業銀行

主にインターネットを介して取引を行う普通銀行。24時間自宅のパソコンや携帯から銀行サービスを利用することができ、店舗コストがかからないため普通預金の利率も他行よりも高めに設定されている。

銀行の役割は信用創造

銀行は集めたお金を必要なところに貸します。それは投資や給料などに利用され、お金を受け取った人はまた銀行に預金します。お金が循環して何倍もの価値を持つことを信用創造といい、預金を扱う銀行ならではの役割です。

社会全体の通貨量を増やすことができる

金融機関はお金を循環させるポンプのような役割を果たし、経済を動かしています。この循環時に重要な役割を果たすのが銀行です。銀行は間接金融であるがゆえに生み出す価値があり、それを信用創造といいます。

信用創造とは、発行された通貨以上のお金が貸し出されることによって、世の中で利用されるお金の量が増加するしくみです。簡単な事例で確認してみましょう。

例えば、Aさんが銀行Bに100万円を預金したとします。銀行では預かった預金のうち、預金準備率を控除してお金を貸し出します。仮に預金準備率を10%とした場合、100万円×10％＝10万円が支払準備金（P.20参照）として日本銀行に預けられますが、残りの90万円は貸出に利用されます。

90万円を企業Cに貸し出したとします。企業Cは借りたお金を事業に使い、代金を受け取った企業C'は銀行Dに預け入れます。銀行Dはこの90万円のうち10%にあたる9万円を支払準備金に、残り81万円を貸し出します。企業Eがこれを借りて事業に使ったとしましょう。企業E'が代金として受け取り別の銀行Fに預け入れます。これが繰り返されるとどうなるでしょうか。

最初に銀行Bに預けられた預金100万円がトータルで預金1,000万円へと変化していることがわかります。預金準備率が10%の場合、最大で銀行全体の預金が10倍まで膨れ上がります。これが信用創造のしくみです。

信用創造は社会全体での通貨量を増やすことができます。これにより経済活動を円滑にできるのです。

信用創造
銀行の貸付けにより、社会全体に供給される通貨量（マネーストック）が増加するしくみ。銀行には信用があるため預金が集まる。そして貸付けに回すことができ、それが何倍もに膨れ上がることになる。

預金準備率
金融機関は一定比率以上の金額を日本銀行に預ける必要がある。その比率。実際に預けなければならない最低金額を法定準備金額と呼ぶ。金融機関の種類、預金額等によって預金準備率が定められている。

▶ 信用創造のしくみ

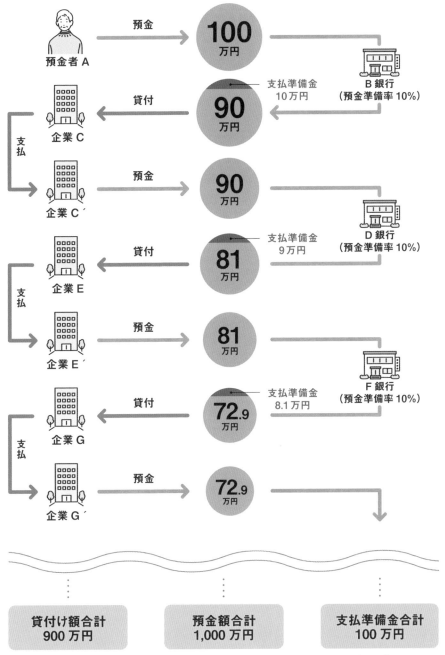

| 貸付け額合計
900万円 | 預金額合計
1,000万円 | 支払準備金合計
100万円 |

最初の預金を100万円、預金準備率を10%とすると、信用創造された金額は「100万円÷0.1=1,000万円（預金総額）」から最初の預金100万円を差し引いた900万円となる。

Chapter5
03

銀行の３大業務とは

銀行には主に３つの業務があります。預金・融資・為替です。この３つの業務を中心に、個人や法人の顧客に対して投資信託や保険の販売といった金融サービスも提供しています。

預金業務とは資金を預かる仕事

預金業務とは、個人・法人問わず、顧客から資金を預かる業務のことです。普通預金、**定期預金**、**当座預金**といった銀行口座の管理を行います。日常生活で皆さんが利用しているのは普通預金です。企業が商売で利用する預金に当座預金があります。また、１年間など期間を決めて預ける定期預金があります。

融資業務とはお金を貸す仕事

融資業務とは、預金業務で預かったお金を、企業の事業資金や個人の住宅購入などのローンとして貸す業務です。銀行は融資によって得られる利息を収益源としています。その利息の一部は預金者にも支払われます。銀行は貸したお金が返済できる見込みがあるかどうかを審査し、将来性がある、返済可能であると判断した相手に融資を行います。

為替業務とは振込や送金を行う仕事

為替業務とは、銀行口座を持っている顧客への振込や送金を行う業務です。水道料金や電気料金などの口座振替も為替業務の一種です。また、ネットショッピング代金の銀行振込、給料の口座振込などの振込作業も為替業務に該当します。

このような伝統的な業務を主軸としつつ、金融自由化に伴い、現在では証券会社や保険会社が行っていた業務の一部も銀行が行っています。1998年に銀行での**投資信託**の販売が解禁されたほか、2001年に損害保険商品の販売、2002年に生命保険商品の販売が解禁されました。銀行は総合的な金融サービスを担う金融機関へと進化しているのです。

定期預金
期間を決めて預け入れる預金。満期日までは原則として払い戻しができない。日本では、現在３カ月、６カ月、１年、２年、３年の５種類があり、金融機関にとっては最も安定した資金源となっている。

当座預金
小切手や手形の支払いを行うために預け入れる預金。無利息が原則であり、引き出しには小切手や手形が利用される。預金保険制度により万が一金融機関が破綻しても全額保護される。

投資信託
投資家から集めたお金を運用の専門家が株式や債券などで運用し、運用成果を投資家に分配する金融商品（P.138参照）。

▶ 銀行の3大業務

銀行

預金業務

普通預金・定期預金・
当座預金といった
銀行口座の管理を行う

融資業務

預金を企業の事業資金や
住宅ローンとして貸す

将来性があるか、貸したお金
の返済が可能かどうかを判断
したうえで融資を行う

為替業務

口座を持っている顧客への
振込や送金を行う

口座振替やネットショッピン
グなどでの口座振込に関する
振込作業も該当する

利息 →
← 預金

貸出 →
← 利子・返済

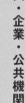

サービス
提供 →
← 手数料

個人・企業・公共機関

👍 ONE POINT

AIの力で銀行業務は生産性向上へ

現在、金融業界ではAIが企業の財務情報をもとに融資判断に必要な書類の草案
を作るなど、IT化が進んでいます。2023年3月にはアメリカの大手メディア
Bloombergが「BloombergGPT」を発表。膨大な金融データをもとに、リスク評
価や、会計・監査の自動化ができるようになるといわれています。

Chapter5
04

銀行本部と支店、 それぞれの役割と業務

銀行の組織は、本部と支店で構成されます。本部では、銀行全体の経営方針を策定するほか、金融商品の企画を行い、支店ではその金融商品の提供を行います。

本部は全体の運営と支店のサポートを行う

銀行の組織は、本部と支店で構成されます。銀行全体の仕事を行うのが本部で、リテール部門、法人部門、市場部門、国際部門があります。リテール部門は個人向け、法人部門は法人向けに販売する金融商品などの企画を行います。

市場部門は、預金残高と融資残高のバランスをとるため、金利スワップや債券先物などで長期金融商品を調達し長期的な資金の調整を行います。また、インターバンク市場におけるコールや手形市場で短期の金融調整を行っています。

国際部門は、海外への送金や外貨の両替などを行う外国為替業務のほか、企業の海外進出の支援、海外での資金調達などを行います。海外の支店や駐在所では、現地の情報収集を行い、海外展開を行いたい企業へのアドバイスなどを行っています。

本部ではこのほかにも、銀行全体の経営方針を策定し、予算編成などを行う企画部門があります。

支店では直接お客様と関わる業務などを行う

支店には、窓口業務、バックオフィス業務、渉外、法人営業、融資事務などの業務があります。窓口業務は、テラーと呼ばれる窓口担当者が振込や公共料金の支払いなどの事務を担当します。バックオフィス業務は、テラーがお客様から預かった案件について、コンピュータにより送金や口座振替などの処理を行います。渉外は、担当エリアのお客様を訪問し、定期預金や投資信託、保険、年金、住宅ローンなどの相談、販売を行います。

法人営業は、企業に対して融資を行うほか、金融商品の販売、企業の営業支援などを行います。融資事務は、法人営業担当者が

テラー
銀行の窓口業務。カウンターが高いハイカウンターでは、普通預金などの入出金や振込、税金の支払いなどを担当する。低いローカウンターでは、新規口座開設、運用相談、各種変更手続きなどを行う。

本部のしくみと支店の業務

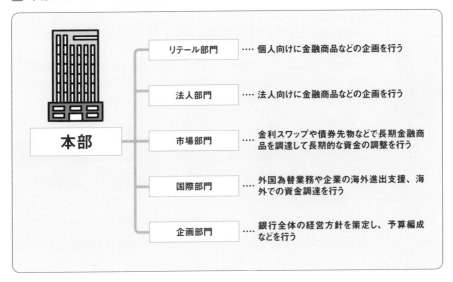

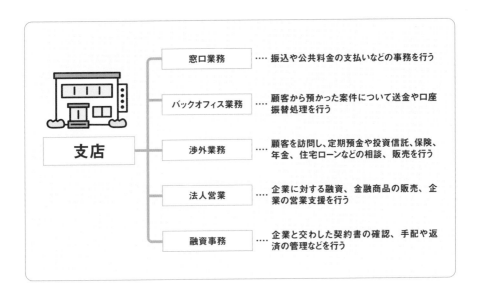

企業と交わした契約書などを確認しながら融資が円滑に行われる
よう手配し、返済が順調かどうかの確認も行います。

　支店では難しい融資の可否決定を本部が行うなど、本部と支店
が一体となって案件をこなすこともあります。

普通銀行＋αの業務が可能で、顧客の課題に沿って対応する

信託銀行の役割と業務

信託銀行では、普通銀行の業務に加えて、金銭の信託や有価証券の信託といった信託業務と、不動産仲介や相続関連業務といった財産の管理・処分などの併営業務を行います。業務領域が広く、さまざまな提案ができます。

銀行業務、信託業務、併営業務を行う

信託銀行は、預金や貸付けなど普通銀行が行う業務に加えて、信託業務と併営業務も行うことができます。信託業務とは、顧客が所有する金銭や土地などの財産を専門家である信託銀行に託し、運用や管理を任せる方法です。「資産運用」、「資産管理」、「資産承継」、「社会貢献」の4つの分野で活用されています。

資産運用では、信託銀行が顧客に代わって株式などの有価証券や不動産を運用します。**財産形成貯蓄制度**にも信託が利用されています。資産管理では、高齢者の財産管理を行います。**確定給付企業年金制度**や**厚生年金基金制度**にも信託が利用されています。

資産承継では、結婚・教育に関する費用など、子供や孫への資金支援を行うほか、顧客が亡くなった後に配偶者や子供に財産を引き継ぐ遺言代用信託などを行います。社会貢献では、顧客の財産を奨学金の支給や学術分野の研究、都市環境の整備などに役立てるほかNPO法人等への寄付にも利用されます。

併営業務とは財産の管理・処分などを行う業務

併営業務とは、不動産関連や証券代行、相続関連といった財産の管理・処分の支援です。不動産関連業務では、不動産売買、賃貸の仲介はもちろんのこと、不動産の管理や有効活用の提案を行います。証券代行では、株主名簿の管理のほか、株主総会の支援や会社法務の情報提供、コンサルティングを行います。相続関連では、遺言の保管をはじめ、**遺言執行業務**などを行います。

信託銀行の強みは、幅広い業務範囲で顧客の多様なニーズに合わせた商品やサービスが提案できることで、不動産、相続など専門性の高いコンサルティングの提供にあります。

財産形成貯蓄制度
略して財形貯蓄。給与から天引きで行う貯蓄制度。一般財形貯蓄、財形年金貯蓄、財形住宅貯蓄の3種類がある。このうち、財形年金貯蓄では老後の資金作りを、財形住宅貯蓄では住宅の資金作りを行う。

確定給付企業年金制度
受け取る年金額が確定している企業年金制度。企業が責任をもって運用する。規約型と基金型の2種類があり、規約型は企業内で規約を決め運用する。基金型は企業年金基金を設立し運用を行う。

厚生年金基金制度
国に代わって厚生年金の給付の一部を代行して行うとともに、企業の実情などに応じて独自の上乗せ給付を行うことができる制度。2014年4月1日以降、厚生年金基金の新規設立は認められていない。

▶ 信託の考え方

信頼する人

受託者

信託された財産を管理・運用して生まれた利益を受け取る

財産の移転

信託受益権

委託者

財産を信託できる人に信託する

受益者

委託者が指定した受益者に財産が渡る

▶ 信託銀行の業務

通常の銀行業務	信託の引受にかかる業務	財産の管理・処分等に関する各種サービスの提供
銀行業務	**狭義の信託業務**	**併営業務**
● 預金業務 ● 貸出業務 ● 為替業務 ● 付随業務 ⇒有価証券の売買、デリバティブ取引など	● 金銭の信託 ● 有価証券の信託 ● 金銭債権の信託 ● 動産の信託 ● 不動産の信託	● 不動産関連業務 ⇒売買仲介、鑑定など ● 証券代行業務 ⇒株主名簿管理、名義書換 ● 相続関連業務 ⇒遺言執行、遺産整理など

＋ ＋

広義の信託業務

遺言執行業務

遺言者の死後に、遺言に記載された内容を実現するために、相続人に代わって相続手続きを進めていく業務。相続財産目録の作成や、預貯金の解約、法務局での不動産の名義変更などを行う。

Chapter5 06

信用金庫・信用組合・労働金庫・JAの役割と業務

信用金庫・信用組合・労働金庫・JAは、協同組織の金融機関です。各地域の営業範囲が決まっている点も共通点ですが、根拠法や会員（組合員）資格が異なります。地域のための金融機関といった側面が強いです。

銀行との違いは利用者

信用金庫・信用組合・労働金庫・JA。いずれも地域・職種が同じ人たちで会員・利用者となり、地域の繁栄を図る相互扶助を目的とした**協同組織金融機関**です。業務は銀行と変わりませんが利用者が異なります。信用金庫と信用組合の主な取引先は中小企業や個人です。労働金庫は**労働組合**や**生協**の組合員などが利用します。JAは農業従事者を中心とした人びとが利用します。

それぞれ営業地域が決められており、預かった資金などは地域の発展などに生かされています。利益を求める株式会社の銀行とは目的が異なります。

それぞれの金融機関の特徴

信用金庫は信用金庫法、信用組合は中小企業等協同組合法に基づいて設立されています。どちらも地域で集めた資金を地域に還元することを組織の目的としていますが、会員資格や業務範囲が異なります。

例えば、信用金庫では従業員300人以下または資本金9億円以下の事業者が対象なのに対して、信用組合では従業員300人以下または資本金3億円以下の事業者が対象となっています。また、信用金庫では、預金の受入れに制限はありませんが、信用組合では原則組合員が対象となっています。

労働金庫は、労働金庫法に基づいて設立されており、労働組合や生協の組合員などの会員が資金を出し合い、働く人を中心に融資、預金などを行います。

JAは、農業協同組合法に基づいて設立されています。このJAの中に**JAバンク**があり、農業従事者などの組合員に対して貯金、

協同組織金融機関
会員・組合員の相互扶助を目的とした金融機関。株式会社とは異なり、営利を目的とせず、職種や地域を同じとする人たちが資金を出し合うしくみが用いられる。漁業協同組合なども該当する。

労働組合
労働者が主体となって経済的地位の向上や労働条件の改善・維持を目的として組織する団体。日本では企業別労働組合が中心である。令和4年12月末における日本の労働組合数は約23,000組合ほど。

生協
生活協同組合。消費者1人ひとりが出資金を出し合うことで組合員となり、協同で運営・利用する組織である。生協は、消費生活協同組合法に基づいて組織される。略称はコープ（Co-operative）。

▶ 信用金庫・信用組合・労働金庫・JA、それぞれの特徴

協同組織金融機関 ◀ 地域の繁栄を図る 相互扶助を目的とする

信用金庫

根拠法	信用金庫法
利用者	中小企業・個人
特徴	預金の受入れに制限がない

信用組合

根拠法	中小企業等協同組合法
利用者	中小企業・個人
特徴	預金は原則として組合員が対象

労働金庫

根拠法	労働金庫法
利用者	労働組合・生協の組合員
特徴	働く人を中心に融資、預金を行う

JA

根拠法	農業協同組合法
利用者	農業従事者を中心とした人
特徴	貯金、ローン、為替などの金融サービスを提供し、生命共済や自動車共済も取り扱う

ローン、為替などの金融サービスを提供するほか、万が一の備えとなる生命共済や自動車共済などを取り扱っています。

いずれも預金・融資・為替業務を行い、原則として普通銀行と同じ金融機関の役割を担っていますが、より地域密着型で身近な金融機関といえるでしょう。

JAバンク

JA貯金を中心に、国債や投資信託などの資産運用、住宅ローンなどローンの提供を行う。また、農業従事者向けに運転資金の融資も行う。農家とその家族が主な顧客層である。

Chapter5
07

証券会社の役割と業務

証券会社は、株式や債券などを通じて資金のやり取りの媒介を行う直接金融の主要な担い手です。業務は主にブローカー業務、アンダーライティング業務、セリング業務、ディーリング業務の4つに分けられます。

投資家と企業をつなぐ役割を持つ

証券会社は、直接金融の主要な担い手です。株式や債券を発行し資金調達を行いたい企業などに対して、資金を出したい投資家を結び付け、資金のやり取りを仲介します。こうした資金調達ニーズは増加しており、証券会社の役割は高まっています。

4つの主な業務

証券会社には主に4つの業務があります。ブローカー業務、アンダーライティング業務、セリング業務、ディーリング業務です。

ブローカー業務とは、顧客から受けた株式などの売買注文を証券取引所に出す業務です。売買が成立すると証券会社は**手数料**を受け取ります。この手数料が証券会社の収益源ですが、金融自由化後はインターネット証券を中心に顧客獲得のために各社で安さを競っています。

アンダーライティング業務とは、引受業務とも呼ばれます。**上場企業**などが新しく発行する株式や債券を証券会社がすべて買い取り、投資家に販売する業務です。もし売れ残った場合には証券会社自身がリスクをとり保有することになります。

一方、セリング業務とは、同じく株式や債券の販売ですが、あくまで委託販売で買い取るわけではないため、売れ残りというリスクは負いません。すでに発行済みの株式や債券などを販売することを「売り出し」、新規で発行する株式や債券などの販売を「募集」と呼んでいます。

ディーリング業務とは、証券会社の自己資金を用いて株式などの売買を行い、利益を稼ぐ業務です。**ディーラー**と呼ばれる社員が日々企業の株価動向を確認しつつ、売買を行っています。

手数料
株式売買を行った際に、証券会社に支払う手数料。現在は売買手数料が自由化されており、各証券会社によって異なる。一般的に、インターネット証券のほうが対面営業の証券会社よりも低い。

上場企業
証券取引所で自社の株式が売買できる企業。一定の基準をクリアしなければ上場できない。

ディーラー
証券会社の資金を利用して、株式などの売買により運用を行い、利益を上げる役割を担う人のこと。

▶ ブローカー業務

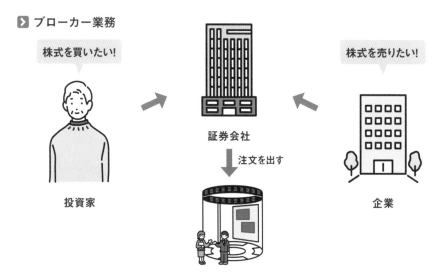

株式を買いたい！

投資家

証券会社

注文を出す

証券取引所

株式を売りたい！

企業

▶ アンダーライティング業務とセリング業務

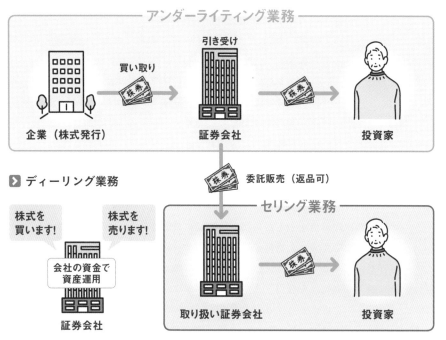

── アンダーライティング業務 ──

引き受け

買い取り
株券

企業（株式発行）

証券会社

株券

投資家

▶ ディーリング業務

株券 委託販売（返品可）

株式を
買います！

株式を
売ります！

会社の資金で
資産運用

証券会社

── セリング業務 ──

株券

取り扱い証券会社

投資家

ブローカー業務は注文を証券取引所へ取り次ぐ業務。アンダーライティング業務とセリング業務は株式などの有価証券を販売する業務で、ディーリング業務は自己資金で売買を行い利益を得る業務。

企業向けに財務関連の助言から解決方法まで提供する

投資銀行の役割と業務

投資銀行では、主に企業向けの証券業務を行います。M&Aアドバイザリー業務や資金調達のアレンジ、株式公開の支援などを行います。日本では多くは証券会社の一部門として投資銀行部門があります。

📍 M&Aアドバイザリーなどを行う

　JPモルガンやゴールドマンサックスなど、これらは外資系の投資銀行です。銀行といってもアメリカの法制度に基づく呼称（Investment Bank）で、実体は企業向けの証券会社です。日本には投資銀行を定めた法律はなく、多くは証券会社の一部門が投資銀行業務を行っています。特定の分野に専門化した会社（ブティック型）もあります。

　投資銀行の主な役割は企業が成長するための資金調達支援と経営支援です。業務は投資銀行部門（IBD）やマーケット部門といった複数の部門で行われます。業務の中で最も有名かつ人気があるのがM&Aアドバイザリー業務です。

　M&Aとは企業の買収・合併を意味します。企業戦略に沿ってシナジー効果が期待できる対象企業の選定から、買収・**経営統合**の提案、実行支援まで行います。会計上や法務上の問題には公認会計士や弁護士など専門家が対応してM&Aを実現させます。

　投資銀行が行う引受業務は、国内のみならず世界の投資家を相手に、企業の資金調達の助言や証券発行の支援をします。

　もう1つ、IPO業務も行っています（P.42参照）。証券取引所の審査を通るために、企業にさまざまな視点からアドバイスを行います。上場時には株式を引き受けて販売します。

　セールス部門は機関投資家や富裕層に対してニーズに沿った金融商品を提供します。デリバティブなどを用いた高度な金融商品を提供することもあります。

　リサーチ部門は、上場企業などを分析し、投資家に向けてレポートを発行します。顧客に金融商品を提案するセールス部門を支援するデータも提供します。

M&A

Mergers and Acquisitionsの略。複数の会社が1つになるのが合併、ある企業がほかの企業の株式を買い経営権を握るのが買収である。M&Aの手法には、株式譲渡、事業譲渡、合併、会社分割などがある。

経営統合

2社以上の会社が共同で新しく持株会社を設立し、その持株会社の傘下に入ることで統合する方法。合併とは異なり、資本や組織が一本化されるわけではないため、人事制度などの統合は不要である。

▶ 投資銀行の役割

資金調達支援

- 株式や債券の発行による資金調達のアドバイスをする
- 株式や債券の販売、上場のコンサルティングを行う

経営支援

- 買収や合併、経営統合による企業の成長を支援する

▶ 投資銀行の業務

機関投資家

資金 ↓ ／ ↑ 金融商品提供など

投資銀行部門（IBD）

- **M&A**
  ⇒企業の買収・経営統合の実行支援を行う
- **IPO**
  ⇒上場のために必要なアドバイス、支援を企業に対して行う

※IBD：Investment Banking Division

マーケット部門

- セールス
  ⇒機関投資家や富裕層に対して金融商品を提供する
- リサーチ
  ⇒上場企業を分析し、投資家に向けたレポートを発行する

投資銀行

投資など ↓ ／ ↑ 株式・債券の引き受けなど

事業法人

保険会社の役割と業務

生命保険会社は生命保険の引き受けと支払いを、損害保険会社は損害保険の引き受けと支払いを中心に業務を行います。また、いずれも顧客から預かった保険料をもとに資産運用しており、大口の機関投資家でもあります。

生命保険会社と損害保険会社に大別される

保険会社には、大きく分けて生命保険会社、損害保険会社があります。生命保険会社は、人の生命に万が一のことがあった場合に備える生命保険を、損害保険会社は火災や地震など、モノの損害が発生した場合に備える損害保険を取り扱います。

こうした保険の企画、設計、販売を行うのが保険会社です。保険制度の健全性を維持するため、保険会社は査定してから保険を受けるかどうかを決めます。生命保険なら健康状態や職業など、損害保険なら事故発生率などが勘案されます。

保険契約後に顧客に万が一のことがあった場合や、モノの損害が発生した場合には、迅速かつ正確に支払いを行うことで、経済的な側面から顧客をサポートします。

機関投資家としての役割もある

もう1つ、保険会社は金融における重要な役を担っています。それは機関投資家としての役割です。保険会社は顧客から預かった保険料の一部を株式や債券、不動産などをもとに運用しています。予定利率を基準とし、顧客への保険金と配当金を確実に支払うため、不測の損失を回避しつつ安定的な運用を行っています。つまり、保険会社は、金融市場での資金提供者でもあります。

日本の保険会社は世界でも有数の機関投資家であり、グリーンボンドを発行する企業や自治体に対して資金を提供するなど、ESG投資にも積極的です。生保最大手の日本生命保険では、2021年4月からすべての投融資にESG投資の視点を採用しました。これは国内の民間機関投資家初の試みです。

予定利率
保険会社が運用を行うときに約束する利率。契約時に決まる。一般的に予定利率が高いほど保険料は安くなり、低いほど保険料が高くなる。運用で予定利率を上回ると剰余金が発生する。

グリーンボンド
環境債。温室効果ガス削減などの地球温暖化対策や、再生可能エネルギーの活用といった環境対策などに取り組むプロジェクトに必要な資金を調達するために、企業や自治体が発行する債券のこと。

ESG投資
財務情報だけではなく、環境（environment）・社会（social）・企業統治（governance）を重視した投資を行うこと。年金積立金管理運用独立行政法人（GPIF）を中心に国内でもESG投資が広がっている。

▶ 保険会社の主な業務内容

保険商品の 提案・販売	契約後の アフターフォロー	保険商品の 開発・企画	保険金の 支払い
保険の加入を認めるかどうかの査定を行い、顧客に合った商品を提案する	保険加入後、顧客の状況変化がないかどうかをフォローする	顧客のニーズを満たす新しい保険商品の開発、企画を行う	顧客に万が一のことが起きた場合に保険金を支払う

▶ 保険会社の機関投資家としての役割

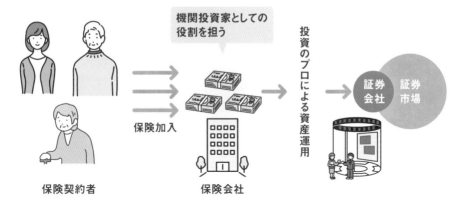

機関投資家としての役割を担う

投資のプロによる資産運用

証券会社　証券市場

保険加入

保険契約者　　　保険会社

🖐 ONE POINT

相互会社では保険契約者が社員

保険会社には、株式会社と相互会社の2種類があります。相互会社は保険業のみ選択できる形態で、相互扶助の精神に基づき保険の契約者が社員となり剰余金の大半を配当により契約者に還元する非営利法人です。生命保険の5社が相互会社ですが、株式会社が多くなっています。

預金業務を行わず、銀行とは異なる金融機能を提供する

ノンバンクの役割と業務

消費者金融、クレジットカード会社、信販会社。こうした企業は俗にノンバンクと呼ばれます。銀行のような預金業務は行わず与信業務を中心に行います。銀行が補えない部分をカバーする役割を担っています。

ノンバンクは与信業務のみを行う

ノンバンクには消費者金融、クレジットカード会社、信販会社、リース会社などがありますが、共通するのは預金業務を行わないことです。銀行ではない金融機関という意味で、総称してノンバンクと呼ばれます。お金を貸す、立替を行う、銀行融資に対する保証を行うといった与信業務のみを行います。

ノンバンクには、貸金業法が適用されます。貸金業法には総量規制の規定があり、消費者を過度な借金から守っています。

預金業務のないノンバンクの原資は、金融機関からの借り入れや株主からの出資金です。そのため金利はどうしても高くなります。一方で与信のノウハウを活かして、迅速な審査で貸せるところが強みです。

事業者金融、消費者金融は、銀行の審査が厳しくて借りられない事業者や消費者に対して融資を行います。当座のお金がすぐ必要な状況では、助けになります。

クレジットカード会社は、契約者を信用して支払いを立替し、あとで契約者から代金を受領します。現金を貸し出すキャッシング機能も提供しています。年会費、キャッシング・分割払い・リボルビング払いにかかる利息のほか、加盟店からの利用手数料を収益としています。

信販会社は、利用者が商品やサービスを購入する際に、販売会社に代金を立替払いし、その後、利用者から代金と手数料の支払いを受けるサービスを提供しています。リース会社は、機械設備等を購入し、必要とする企業に長期的に貸出を行います。どちらも利用者は一時的なまとまった購入費が不要で商品を利用でき、リース料は経費として処理できる利点があります。

与信
お金を貸していいという信用を与え、その金額・期間など条件を決めること。銀行の融資枠、カードの利用枠などが例。相手が信用できるか、返済能力や返済資質、返済担保などを審査する。

総量規制
年収を基準として1/3を超える貸付けが原則として禁止されている。貸金業者の貸付けであり、信販会社の販売信用は対象とならない。

キャッシング
クレジットカードやカードローンをもとに、コンビニなどのATM等でお金を借りることができるサービス。利用限度額の範囲内であれば、自由に現金を借り入れることができる。使い道は自由。

▶ 役割は融資・立替・保証の3つ

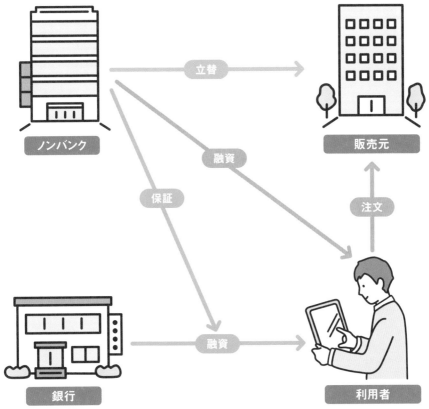

ノンバンクでは、支払いの立替を行う、融資する、銀行融資の保証を行うといった役割がある。

▶ ノンバンクの種類と銀行との違い

ノンバンクの種類	銀行との違い
● 消費者金融	● 適用される法律が異なる
● クレジットカード会社	● 預金業務がない
● 信販会社	● 比較的審査が通りやすい
● リース会社	● 融資決定までのスピードが比較的早い
● 事業者金融	● 金利が高い
● 住宅金融専門会社	● 借り入れ限度が低い

Chapter5
11
ゆうちょ銀行の役割と業務

ゆうちょ銀行は、国内最大規模の顧客基盤を築き、全国共通サービスを提供しています。一方、日本最大級の機関投資家として、運用収益を確保するほか、ベンチャー企業への支援等により日本経済に貢献しています。

他の銀行と同様の業務を行っている

ゆうちょ銀行は、全国233の直営店と約24,000の郵便局という、ほかに例を見ない規模のネットワークをもとに、全国一律の**ユニバーサルサービス**を展開しています。**通常貯金**をはじめ、定期貯金、定額貯金などの貯金を取り扱うほか、振込や外貨両替、外国への送金など一般的な銀行業務と同様の業務を行っています。

ほかの銀行と異なる点は、貯金の預入限度額に上限があること。ゆうちょ銀行では、通常貯金・定期性貯金とも1人あたり1,300万円までと決められています。

ゆうちょ銀行は、預かった貯金をもとにした企業への貸出や、個人へのローン業務を行いません。その理由には、与信能力への懸念や、民業圧迫という地方銀行からの反発があります。その代わり、ほかの銀行の住宅ローンを扱うなど、**銀行代理業者**として申し込みや契約の媒介を行っています。

国債などへの投資で収益を稼いでいる

ゆうちょ銀行は日本最大級の機関投資家という顔を持っています。貯金をもとに国債や地方債、社債、外国債などに投資を行うことで収益を稼いでいるのです。

また、地域金融機関と連携し、事業承継や起業・創業の支援を目的とする**地域活性化ファンド**にも参加しており、日本の経済再生を地域振興から支援しています。

ゆうちょ銀行も、ほかの銀行と同様に、投資信託の販売拡大や、直営店のフィナンシャル・コンサルタント（FC）を中心にした、顧客の資産形成支援に取り組んでいます。

ユニバーサルサービス
社会全体で均一に維持され、地域による分け隔てもなく、誰もが等しく利用できる公共的なサービス全般を指す。郵便、通信のほか、電気、ガス、水道、放送などの事業で提供されている。

通常貯金
ゆうちょ銀行が提供する、いつでも引き出すことができる貯金。普通銀行の普通預金に相当する。日常生活の資金の出し入れに利用されたり、公共料金の引落とし、給与等の振込に利用される。

銀行代理業
2006年に銀行代理業制度ができ、預金・貸付・為替という銀行の業務を代理店が媒介できるようになった。

地域活性化ファンド
地域の経済成長をけん引する企業を支援するため、金融機関等が出資を行うファンド。

ゆうちょ銀行の業務

業務		銀行との違い
● 貯金業務 ● 外貨両替 ● 銀行代理業者として住宅ローンなどの契約の媒介 ● 資産運用 ● 投資信託の販売	● 振込 ● 送金 ● 地域活性化ファンドへの参加 ● 顧客の資産形成支援	● 貯金の預入額に限度がある ● 貯金をもとにした企業への貸出、個人へのローン業務を行わない

ゆうちょ銀行の資産運用の状況

2022年度末

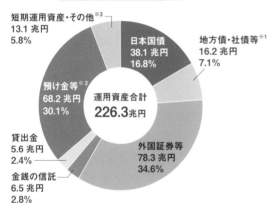

短期運用資産・その他※3
13.1兆円
5.8%

日本国債
38.1兆円
16.8%

地方債・社債等※1
16.2兆円
7.1%

預け金等※2
68.2兆円
30.1%

運用資産合計
226.3兆円

貸出金
5.6兆円
2.4%

金銭の信託
6.5兆円
2.8%

外国証券等
78.3兆円
34.6%

国債や地方債、社債、外国証券といった有価証券をベースに国際分散投資を行うことで得た収益を、金融サービスの展開や地域の企業支援などにあてています。

※1「地方債・社債等」は地方債、短期社債、社債、株式　※2「預け金等」は譲渡性預け金、日銀預け金、買入金銭債権
※3「短期運用資産・その他」はコールローン、買現先勘定等

出典：ゆうちょ銀行ホームページ「業績・財務の状況」

ゆうちょ銀行が参加している地域活性化ファンドの例

地域	ファンド
北海道	北海道成長企業応援ファンド
中部・北陸地域	中部・北陸地域活性化ファンド
青森県	みちのく地域活性化ファンド/ あおぎん地域貢献ファンド
福島県	とうほう事業承継ファンド
東京都	TOKYO・リレーションシップ1号 ファンド/とうきょう中小企業支援2号ファンド
神奈川県	ヘルスケア・ニューフロンティアファンド
福井県	ふくい未来企業支援ファンド

地域	ファンド
滋賀県	しがぎん本業支援ファンド
京都府	みやこ京大イノベーションファンド/ MBC Shisaku1号ファンド
愛媛県	えひめ地域活性化ファンド
九州地域	九州広域復興支援ファンド
九州 瀬戸内地域	九州せとうちポテンシャルバリューファンド
九州南部地域	KFG地域企業応援ファンド
全国	サクセッション1号ファンド/ 京大ベンチャーNVCC2号ファンド

出典：日本郵政ホームページ

Chapter5

12

異業種から参入してきた新銀行

2000年以降、異業種から参入した新しい銀行が多く生まれています。成り立ちを整理してみると、インターネット専業・流通コンビニ系・中小企業融資という大きく3つの形態に分類することができます。

📍 インターネット専業、流通コンビニ系が銀行に参入

ジャパンネット銀行
2000年にさくら銀行（現：三井住友銀行）と富士通が主体となり設立したインターネット専業銀行。その後、ヤフーの連結子会社となる。2020年7月31日の取締役会にて、PayPay銀行へ商号変更を決定した。

ソニー銀行
2001年にソニー、三井住友銀行などの出資により設立した。ジャパンネット銀行が決済手数料を収益の柱にしたのに対して、ソニー銀行は外貨預金などの資産運用や住宅ローン等を収益の柱に据えている。

楽天銀行
2001年に国内で2番目に設立したインターネット専業銀行。もともとはイーバンク銀行であったが、2009年に楽天が連結子会社化し、2010年に楽天銀行へ商号変更された。日本最大級のネット銀行。

1998年に銀行持ち株会社が解禁されました。以降、新しく異業種から参入した銀行が数多く設立されています。大きく次の3つの業態に分けられます。

1つ目は、インターネット専業銀行です。2000年に設立されたPayPay銀行（旧ジャパンネット銀行）をはじめ、ソニー銀行、楽天銀行、住信SBIネット銀行などです。営業上、必要最小限の店舗は持つものの、それ以外はすべてインターネットでサービスの提供が行われます。人件費や店舗運営コストがかからないため、預金金利が高く手数料は通常の銀行に比べて低く抑えています。

2つ目は、商業施設やコンビニを運営する企業が持つ銀行です。セブン銀行はイトーヨーカドーやセブンイレブンなどの店舗内にATMを構え、主に預金や振込を中心としたサービスを展開します。イオン銀行は、イオンやミニストップに設置したATMのほか、ショッピングセンターに店舗を構えて住宅ローンや外貨預金、投資信託の販売など広く展開しています。ローソンも2018年10月よりローソン銀行の業務を開始しています。

3つ目は、中小企業向けの融資を主体とする銀行ですが、新銀行東京はきらぼし銀行に吸収合併され、日本振興銀行は経営破綻して、その業務を承継した第二日本承継銀行は最終的にイオン銀行に吸収されました。

最近では、地方銀行がデジタル技術を活用してオンラインサービスを行うデジタルバンクを設立する動きが見られます。2022年1月には東京きらぼしフィナンシャルグループのデジタルバンクとしてUI銀行が開業。今後、さらに新規参入が加速し、伝統的な銀行経営などに大きな影響を与える可能性があります。

▶ 新規参入してきた新銀行

1998年3月　銀行持ち株会社解禁

インターネット専業銀行

【特徴】

最小限の店舗以外はすべてインターネットでサービス提供を行う。預金金利が高く、手数料が低い

【例】
- PayPay銀行
- ソニー銀行
- 楽天銀行
- 住信SBIネット銀行

商業施設などの運営企業が持つ銀行

【特徴】

コンビニなどにATMを設置し、預金や振込を中心としたサービスを提供し、ショッピングセンターに店舗を構えて住宅ローンや外貨預金、投資信託の販売を行ったりする

【例】
- セブン銀行
- イオン銀行
- ローソン銀行

中小企業向けの融資を主体とする銀行

【特徴】

新銀行東京や日本振興銀行などがあったが、いずれも吸収合併や経営破綻している　➡　失敗に終わっている

▶ インターネット専業銀行の預金金利比較

金融機関名	年金利	
	普通預金	定期預金（1年満期）
au じぶん銀行	0.001%	0.030～0.050%
GMO あおぞらネット銀行	0.001%	0.020%
住信SBIネット銀行	0.001%	0.020%
ソニー銀行	0.001%	0.010～0.3%
PayPay銀行	0.001%	0.002%

金融機関名	年金利	
	普通預金	定期預金（1年満期）
みんなの銀行	0.001%	0.100%
大和ネクスト銀行	0.005%	0.050%
UI銀行	0.100%	0.120～0.200%
楽天銀行	0.020%	0.020%

※2023年3月時点
出典：Business Insider Japan

住信SBIネット銀行
三井住友信託銀行とSBIホールディングスが共同で出資するインターネット専業銀行。利用者が資産運用に用いることを前提とした銀行となっており、SBI証券と連携した円預金「ハイブリッド預金」がある。

Chapter5

13

地方銀行の再編が進む理由

地方銀行の経営統合や合併、連合が加速しています。背景にマイナス金利、ゆうちょ銀行の預入限度額引き上げ、人口減少があります。コンサルティングに特化するなど、特徴がないと生き残れない時代です。

預金と融資による収益が低下している

　地方銀行の経営統合や合併、連合の動きがあちこちで見られます。それには主に3つの理由があるといわれています。

　1つ目が、日本銀行のマイナス金利政策の影響です。支払準備金を日本銀行に預けると銀行の資産が目減りすることになります。また、金利低下に伴い、企業や家計に貸し出す際の金利も低くなってしまい、地方銀行は融資での収益力が低下しています。

　2つ目が、ゆうちょ銀行の預入限度額の引き上げです。1988年4月までは郵便貯金の預入金額は300万円が限度でしたが、ゆうちょ銀行になって徐々に限度額が引き上げられ、2016年4月に通常貯金と定期性貯金の合計で1,300万円に、2019年4月にはさらに2,600万円へと大幅に引き上げられたのです。

　この結果、全国一律で利用でき、民営化後も実質は国が大株主で安心という強みから、地方銀行からゆうちょ銀行へ資金が移動していると想定されます。

　3つ目が、人口減少です。多くの地方では人口減少により経済自体が衰退・縮小しています。人の数も企業の数も減る状況下では、これまでの預金と融資による収益獲得モデルが通用しなくなります。

コストカットで効率的な経営を行おうとしている

　そこで各地方銀行は、経営統合や合併も視野に入れて、**地銀連合**でATMを共通化してコストカットを図り、経営の効率化を進めています。さらに資産運用のコンサルティングに注力して特徴を出すなど、生き残りをかけた戦略を打ち出しています。

国が大株主
ゆうちょ銀行の60.62％は日本郵政が保有し、日本郵政の34.33％を国が保有している（2023年3月31日時点）。

地銀連合
地方銀行への出資やシステムの共通化などによって競争力強化を図ろうというもの。SBIホールディングスの「第4のメガバンク構想」やTSUBASAアライアンスが該当する。

▶ 地方銀行の再編が進む3つの理由

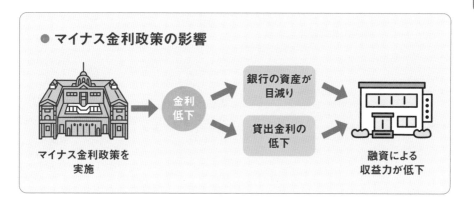

● マイナス金利政策の影響

マイナス金利を
実施
→ 金利
低下
→ 銀行の資産が
目減り
→ 融資による
収益力が低下

貸出金利の
低下

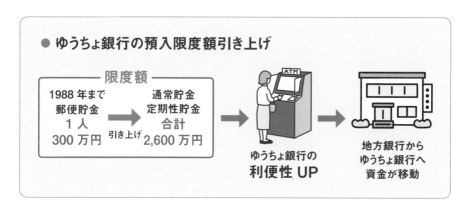

● ゆうちょ銀行の預入限度額引き上げ

──限度額──

1988年まで		通常貯金
郵便貯金	→	定期性貯金
1人	引き上げ	合計
300万円		2,600万円

ゆうちょ銀行の
利便性 UP

地方銀行から
ゆうちょ銀行へ
資金が移動

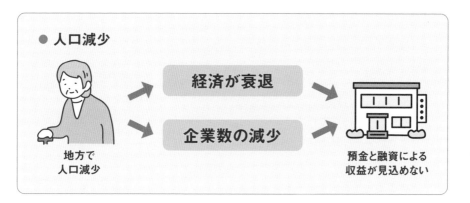

● 人口減少

地方で
人口減少
→ 経済が衰退 → 預金と融資による
収益が見込めない

企業数の減少

金融自由化により変化した銀行

ビジネス領域が拡大した反面、本業の収益が低下

金利が自由化され、横並びから解放された金融機関では競争原理が働くようになりました。この結果、銀行では融資のみに依存する業態から、ほかの金融商品の販売などさまざまな収益源を模索していきます。

現在では、銀行の窓口において、投資信託や保険なども販売されています。住宅ローンを組んだお客様に対して保険も勧めるなど、ビジネスの領域が広がったことは銀行にとってメリットです。

ただし、本業である融資業務では、金利低下に伴い大きな収益が見込めなくなっています。競争原理以外に、国の金融政策にも左右されてきたわけです。こうした状況下で勝ち組となるためには、新しい金融商品をいかに提供できるかという商品開発力、お客様に対していかに適切な金融商品の提案を行えるかというコンサルティング力が問われます。融資以外の収益源を見つけることが、今後の銀行の経営を左右するのです。

M&Aや資産運用へ注力したり収益源を多様化

すでに中小企業のM&Aなどに力を入れたり、子会社に証券会社を設立して資産運用に力を入れることで収益源の多様化を目指す銀行も増えてきています。2018年には規制緩和により銀行の人材紹介事業参入が認められました。自行の顧客に向けてビジネスを展開できるチャンスです。

預金の内容にも変化が見られるようになってきました。スポーツを応援する定期預金や宝くじ・懸賞金付きの定期預金などユニークな金融商品も存在します。こういった低金利下でも魅力ある金融商品で預金を集め、本業の融資での収益を維持しようとしています。

銀行にとって厳しい世の中になった反面、業務範囲が広がりました。これをチャンスととらえ、新たなチャレンジをする銀行が今後は生き残っていくことになるでしょう。

第6章

株・投資信託のしくみ

株式とは、株式会社に出資したことを示す証券です。
また証券会社が販売する投資信託は、投資のプロが選
んだ運用方法に任せて利益を期待する金融商品です。
どちらも個人で取引できる身近なもので、投資入門と
して人気があります。本章では、株式のしくみや、投
資信託のしくみについて解説します。

Chapter6
01

株式とはなにか

株式会社は資金調達の1つの手段として、株式を発行します。株式を売り出し、買ってくれた投資家の拠出した資金をもとに、会社は事業の運営ができます。株主になると、会社の利益の一部を配当として受け取ることができます。

株主の株式購入資金が会社の事業資金となる

会社を運営するためにはお金が必要となります。その際、会社は投資家などからお金を集めます。そのお金を出してくれた証明書として発行されるのが株式です。このように株式を発行して資金を集める会社を株式会社といい、お金を出して株式を買った人を株主といいます。

株主は、お金を出したお礼として、株式会社からいくつかの権利を受け取ることができます。

1つは配当を受ける権利です。これは、会社の業績に応じて利益の一部を受け取ることができる権利（利益配当請求権）で、自益権と呼ばれます。もう1つは、会社が解散するようなことがあった場合に、会社に残った資産を分配して受け取る権利（残余財産分配請求権）です。このほか、株主全体の利益につながる権利として共益権があり、株主総会に出席して経営方針などの議決に加わることができる議決権が含まれます。会社が利益を上げられず、配当金が受け取れないときには、株主は会社の経営者を解任させることもできます。

このように、株主は会社の運営に大きく関われることから、株式会社のオーナーともいえます。

株式のしくみはいつからあった？

こうした株式のしくみは、世界を見渡すとかなり以前からできあがっています。世界最初の株式会社は、1602年に設立されたオランダ東インド会社です。江戸時代にはすでに株式会社のしくみができていたのです。江戸幕府もオランダ東インド会社と長崎出島において交易を行っています。

自益権
株主が会社から直接経済的な利益を受ける権利。株主本人の利益だけに関係する。一株でも保有していれば行使できる単独株主権である。

共益権
株主の権利として、権利行使を行った結果、株主全体の利益につながるもの。取締役会の招集請求などがある。共益権には、一定数以上の株式を保有しないと権利行使できない少数株主権もある。

オランダ東インド会社
1602年に東洋貿易を目的として設立された会社。オランダのインド、東南アジアにおける貿易独占、権益保護を目的として結成され、ジャワ島を中心に植民地経営などにあたった。

▶ 株式のしくみ

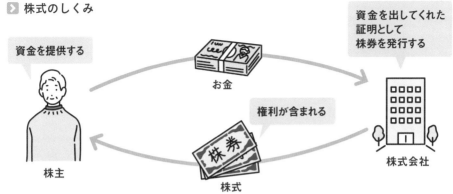

株式とは企業が資金調達のために発行するものであり、株主は株式を購入したお礼として、企業の利益の一部を配当として受け取ることができる。

▶ 株主の代表的な権利

自益権	単独株主権	要件なし	利益配当請求権
			残余財産分配請求権
共益権	単独株主権	要件なし	総会議決権
			設立無効の訴え
			累積投票請求権
			取締役会招集請求権
			取締役会議事録閲覧謄写請求権
			議案提案権
		6カ月保有	代表訴訟提起権
			取締役の違法行為差止権
	少数株主権	総株主の議決権の1%以上または300個以上	6カ月保有	(株主)総会議題提案権(取締役会設置会社) ※6カ月保有要件は公開会社のみ
		総株主の議決権の1%以上	6カ月保有	総会検査役選任請求権
		総株主の議決権の3%以上または発行済株主総数の3%以上	要件なし	会計帳簿閲覧権
			要件なし	業務執行に関する検査役選任請求権
			6カ月保有	清算人・取締役の解任請求権
		総株主の議決権の3%以上	要件なし	取締役等の責任軽減への異議権
			6カ月保有	総会招集請求権
		総株主の議決権の10%以上または発行済株式総数の10%以上	要件なし	解散請求権

👉 ONE POINT

日本最初の株式会社は第一国立銀行

諸説あるものの、国立銀行条例に基づいて1873年に設立された第一国立銀行が日本最初の株式会社ではないかといわれています(現みずほ銀行)。新一万円札の肖像に選ばれた渋沢栄一が設立しました。

上場することで売買が自由になる

誰でも売買できる株、できない株がある

証券取引所に上場する株式は、誰でも売買することができます。それに対して、未上場の株式は自由に売買できるわけではなく制限があります。そのため、一般的には株式の売買とは上場株式の売買を指しています。

上場企業の株は誰でも買える

株式には、誰でも買えるものと、そうでないものがあります。証券取引所に上場する企業の株式であれば、証券会社に注文を出すことで誰でも買うことができます。

東京証券取引所に上場する企業は、2023年10月末現在3,914社です。200万社以上あるといわれている株式会社の中で、東京証券取引所で売買が認められている企業は0.2％と、上場はかなりハードルが高いことがわかります。

例えば、東京証券取引所プライム市場に直接上場する場合、上場時見込みで株主数が800人以上、時価総額が100億円以上、流通株式数が2万単位以上などの要件を満たす必要があります。東証グロース市場の場合でも、株主数が150人以上、流通株式数が1,000単位以上といった要件があります。そのうえで、証券取引所の審査に合格した企業が上場でき、ようやく株式が原則自由に売買できるようになります。

未上場企業の株式売買には制限がある

未上場の株式の売買は簡単ではなく、未上場企業が株式を発行する際に、たまたま縁あって出資する機会を得るといったことがない限り株式を買うことができません。

また、未上場企業では、定款において、株式を譲渡する際には会社の承認を得なければならないと決められている場合があります。すると株主は勝手に誰かに売ることはできません。株主は経営に影響するため、意図しない人が株主にならないよう、売買に制限がかけられているのです。

時価総額
企業価値や企業規模を量る指標。時価総額＝株価×発行済株式数により計算され、同業種内での価値・規模の比較などに利用される。高成長企業ほど株価が高くなり、時価総額も高くなる傾向がある。

流通株式
上場株式のうち、所有が固定的でほとんど売買されないような株式を除いたもの。一般的には、売買が自由に行える株式を指す。

東証グロース市場
東京証券取引所に開設されている株式市場の1つ。ベンチャー企業向けに開設され、高い成長可能性を有する企業への資金調達の場として存在する。

未上場企業
証券取引所に上場していない企業。非上場企業ともいう。

▶ 誰でも買える株式とそうでない株式

上場企業

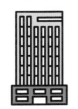

上場するために
厳しい審査がある

↓

誰でも購入可能

未上場企業

株式を譲渡するために
会社の承認を得る必要がある

↓

売買に制限がある

▶ 東京証券取引所プライム市場、スタンダード市場への主な上場審査要件

項目	プライム市場への新規上場	スタンダード市場への新規上場
（1）株主数（上場時見込み）	800人以上	400人以上
（2）流通株式（上場時見込み）	a.流通株式数2万単位以上 b.流通株式時価総額100億円以上 c.流通株式比率　35%以上	a.流通株式数　2,000単位以上 b.流通株式時価総額　10億円以上 c.流通株式比率　25%以上
（3）時価総額（上場時見込み）	250億円以上（原則として上場に係る公募時の価格等に、上場時において見込まれる上場株式数を乗じて得た額）	―
（4）純資産の額（上場時見込み）	連結純資産の額が、50億円以上（かつ、単体純資産の額が負でないこと）	連結純資産の額が正であること
（5）利益の額または売上高※	次のaまたはbに適合すること a.最近2年間の利益の額の総額が25億円以上であること b.最近1年間における売上高が100億円以上である場合で、かつ 時価総額が1,000億円以上となる見込みのあること	最近1年間における利益の額が1億円以上であること
（6）事業継続年数	3か年以前から株式会社として継続的に事業活動をしていること	3か年以前から株式会社として継続的に事業活動をしていること

※利益の額については、連結経常利益金額または連結経常損失金額に非支配株主に帰属する当期純利益または非支配株主に
帰属する当期純損失を加減
出典：日本取引所グループ「上場審査基準」より一部引用

東京証券取引所の市場 I 部・市場2部・マザーズ・ジャスダックの区分は、2022年4月からプライム・スタンダード・グロースという3つの市場区分に変更された。

Chapter6
03

株式投資のしくみ

株式は証券会社に口座を開設すると取引できます。顧客からの注文を仲介となる証券会社が証券取引所に取り次いで、実際に売買されます。日本の株式市場では100株単位で売買され、2営業日後にお金と株式を交換します。

株式は証券取引所を介して注文する

株式取引は証券取引所で行われます。しかし、投資家は証券取引所に直接注文を出すことはできず、証券会社経由で注文を出すしくみです。そのため株式の売買を行うためには、まず証券会社で口座を開設し、投資資金や保有株式を口座で保管する必要があります。

株式取引におけるルール

ここから、実際に売買を行うときのルールを解説しましょう。日本の株式市場では100株単位で売買がなされています。例えば、1株1,000円の株式であれば、最低売買金額が1,000円×100株＝10万円となります。これに証券会社の売買手数料を加えた金額で取引ができます。実際のお金と株式の交換は、2営業日目に行われます。

売買できる時間帯は証券取引所の取引時間により異なります。例えば、東京証券取引所の場合、9時から11時30分、12時30分から15時が通常の取引時間です。なお、PTS取引を利用すれば夜間や朝の取引も可能です。

株式を売買する市場も自由に選ぶことができます。上場企業の株式取引は全国4カ所の証券取引所で行われており、東京であればプライム、スタンダードなどに区分けされています（P.42参照）。

一般的には企業が上場する市場は1つですが、広く資金を集めるため複数に上場する企業もあります。例えばトヨタ自動車は、東京、名古屋、ニューヨーク、ロンドンに上場しています。通常は最も取引が多い市場で取引しますが、市場によって株価に差がある場合は、その差を狙う裁定取引という手法もあります。

PTS取引
証券取引所を介さず、株式を売買することができる私設取引システム（Proprietary Trading System）。SBI証券、楽天証券、松井証券などで利用することができる。

裁定取引
P.192参照。

▶ 株式を売買する主な方法

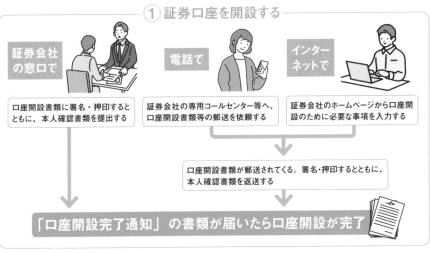

▶ 株式取引のルール

① **株式は 100 株単位で売買される**

② **取引できる時間が決まっている**

③ **売買する市場は選ぶことができる**

Chapter6
04

信用取引とは

お金や株式を証券会社から借りて売買を行うのが信用取引です。証券取引所のルールに基づく「制度信用取引」と、証券会社と顧客で条件を決める「一般信用取引」があります。リスクヘッジなどに利用されます。

お金や株式を借りて売買する

通常、保有する現金の範囲でしか株式は買えませんが、信用取引では手元の現金以上の取引も可能になります。信用取引とは証券会社からお金や株式を借りて行う株式取引です。

証券会社からお金を借りて株式を買うことを買建といいます。買建では、株式を買った後株価が上がったときに売却すれば利益が出ます。一方、証券会社から株式を借りて、その株式を売却（空売り）することを売建といいます。売建の場合、その後株価が下がったところで買い戻せば、差額が利益となるというしくみです。株価が下がると利益が出るため、リスクヘッジとしても活用されています。

もちろん株価の読みが外れると、損失を被ることになります。その場合も借りたお金や株式は証券会社に返済しなければなりません。そのため信用取引は誰にでもできるわけではなく、日本証券業協会によって定められた信用取引開始基準に合致した顧客のみが行えます。

また、取引には約定価額の30％以上の委託保証金を担保として差し入れる必要があります。その後の株価の変動によっては追加で保証金を入れなければならない場合もあります。

信用取引には2種類あります。制度信用取引は、銘柄、品貸料、返済期限などの条件を証券取引所の定めた一律なルールに基づいて行います。一方、一般信用取引は、返済期限などのルールを顧客と証券会社のあいだで自由に決めることができます。

手元のお金以上に売買ができる信用取引はハイリスク・ハイリターンで、投機的な性格を持っています。それゆえ信用のある顧客に限って、保証金を担保にして提供しているのです。

日本証券業協会
金融商品取引法の規定により、内閣総理大臣の認可を受けた認可金融商品取引業協会。

委託保証金
信用取引においてお金や株式を借りるための担保。売買成立金額の30％以上かつ30万円以上で各証券会社が設定する。

品貸料
逆日歩とも呼ばれる。制度信用取引において、需要が多く株不足が生じた場合に、機関投資家等から株式を借り入れるための調達料。

返済期限
制度信用取引では、借りたお金や株式の返済期限が最長6カ月と決まっている。それに対し、一般信用取引では、証券会社と顧客のあいだで返済期限を決めることができる。なお、借りた期間は金利が発生する。

▶ 信用取引のしくみ

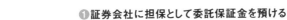

買建取引

❶証券会社に担保として委託保証金を預ける

❷証券会社が買い付け代金を貸す

❸借りたお金で株を購入する

❹借りたお金を返済する（差額は利益か損失）

投資家

証券会社

ⓐ 株式を売った現金で返す（売り返済）
ⓑ 株式は持ったまま、手持ちの現金で返す（現引き）

売建取引

❶証券会社に担保として委託保証金を預ける

❷証券会社が売り付け株式を貸す

❸借りた株券を市場で売却する（空売り）

❹借りた株式を返済する（差額は利益か損失）

投資家

証券会社

ⓐ 株式を買い戻して返す（買い返済）
ⓑ 空売りした代金を受け取り、
　 保有する同一銘柄・同一株数を返す（現渡し）

▶ 下降相場でも信用取引の売りを行い、利益を得ることができる

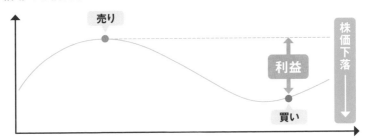

売り

利益

株価下落

買い

株価の指標と企業価値

Chapter6
05

株式相場全体の動きを捉えるためには、株価の指標の理解が不可欠です。各指標を確認する際の注意点も含めて、理解するようにしましょう。株価指標の動きにより、日本全体の経済状況を把握することができます。

株価指標の種類

株式相場全体を捉えるいくつかの株価指標があります。日本では最初の2つが代表的です。

①日経平均株価（日経225）
東京証券取引所プライム市場上場銘柄のうち、各業種を代表する主要な225銘柄を選出し、その株価を平均したものです。一般的に、株価の高い値がさ株の影響を受けやすい特徴があります。なお、株価を単純に平均するのではなく、配当落ちや株式分割、銘柄入替などを考慮した修正平均株価が用いられています。

②東証株価指数（TOPIX）
東京証券取引所プライム市場（旧東京証券取引所市場第1部市場）の全銘柄の時価総額を加重平均した時価総額指数です。1968年1月4日時点を100として、現在の時価総額を表します。時価総額は、株価×発行済株式数で求められ、その企業の規模を示します。そのため、東証株価指数は、時価総額の大きい銘柄（大型株）の影響を受けやすいといえます。

③JPX日経インデックス400
資本の効率的活用や投資者を意識した経営観点など、グローバルな投資基準に求められる一定の条件を満たした企業の株式で構成される新しい株価指数です（2014年1月6日〜）。

④売買高（出来高）
売買が成立した株数を示します。売買高が多い分だけ市場は活況となります。売りと買いを一対で算出し、売りが1,000株、買いが1,000株で取引が成立すれば、売買高は1,000株です。また、売買高を金額ベースにしたものを、売買代金といいます。

これらの指標が上向きなら日本の景気はよいといえます。

値がさ株
株価水準の高い銘柄のこと。何円以上といった具体的な定義はなく、その時の相場水準により変わるものの、1株あたり数千円から数万円程度の株が該当する。

配当落ち
株主への配当金は決算日に支払われるので、決算日のあと理論上は配当分だけ株価が下落する。これを配当落ちという。なお、配当は業績次第である。

株式分割
決められた割合に株式を分けること。発行株式数が増加するが、企業価値が変わらなければ株価は分割割合に応じて下落する。

大型株
発行済株式総数が2億株を超える企業の株、資本金が1,000億円以上または10億株以上の規模の株が該当する。

▶ 日経平均株価とTOPIXの違い

	日経平均株価	TOPIX（Tokyo Stock Price Index）
基準日	1950年9月7日	1968年1月4日
算出元	日本経済新聞社	東京証券取引所
算出対象	プライム市場	東証プライム市場（旧東証1部）に上場する国内普通株式全銘柄
銘柄数	225銘柄	約2,100銘柄
算出方法	株価平均型	時価総額加重型
銘柄入替	流動性や業種間のバランスなどを考慮し、年に一度、日本経済新聞社による銘柄入替がある	定期的な銘柄入替はない。新規上場や上場廃止により銘柄数の増減がある
特徴	値がさ株（高株価の銘柄）の影響を受けやすい	時価総額の大きい銘柄の影響を受けやすい
表示単位	円・銭	ポイント
史上最高値	38,957円44銭（1989年12月29日）	2,884.80ポイント（1989年12月18日）

▶ JPX日経インデックス400の銘柄選定におけるプロセス

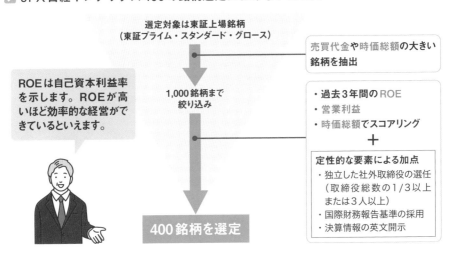

選定対象は東証上場銘柄
（東証プライム・スタンダード・グロース）

売買代金や時価総額の大きい銘柄を抽出

1,000銘柄まで絞り込み

・過去3年間のROE
・営業利益
・時価総額でスコアリング

＋

定性的な要素による加点
・独立した社外取締役の選任（取締役総数の1/3以上または3人以上）
・国際財務報告基準の採用
・決算情報の英文開示

ROEは自己資本利益率を示します。ROEが高いほど効率的な経営ができているといえます。

400銘柄を選定

▶ 売買高が高いほど市場は活況

取引成立！

1,000株売りたい！

1,000株（売買高）

株券

1,000株買いたい！

売買代金

成立時の代金の総額

Chapter6

06

投資信託とはなにか

投資信託は、投資家から集めた資金をもとにさまざまな金融商品に投資して、運用で得た利益を投資家に分配する金融商品です。1万円程度から購入でき、投資の手始めとしても向いています。

投資のプロが販売、運用、管理してくれる

ファンドマネージャー
ファンドの運用を行う専門家。投資信託運用会社や投資顧問会社、信託銀行、保険会社などの運用会社や金融機関に所属する。ファンド別に定められた目的や運用方針に従って、運用を行っていく。

基準価額
株価とは異なり、1日に1回のみ算出される。基準価額はあくまで参考価額であり、実際は翌営業日または翌々営業日の基準価額で購入、換金することになる。金融機関や新聞で確認できる。

投資信託はファンドとも呼ばれ、投資家から集めた資金を**ファンドマネージャー**が運用し、得られた利益を投資家に分配する金融商品です。投資信託は、証券会社や銀行、信用金庫などの金融機関で販売されており、1万円程度から購入できます。専門家による分散投資ができることから、投資初心者をはじめ、高度な知識がなくても気軽に投資ができる金融商品として人気があります。

実際に投資信託を購入する場合は「基準価額」を確認します。基準価額とは、投資信託を売買する際の時価のことです。仮に1万1,100円とあれば、それに近い売買金額と考えます。

投資信託は運用に費用がかかる

投資信託は多くの機関が関わることもあり、運用に費用がかかります。費用には、大きく分けて販売手数料（募集手数料）、信託報酬、信託財産留保額があります。

販売手数料とは投資家が投資信託を購入する際に販売会社に支払う手数料です。購入金額の1〜3％（＋消費税）ですが、最近はノーロード投信と呼ばれる、手数料無料の商品も増えてきています。

また、信託報酬とは投資信託の運営や管理にかかるコストです。このコストは、販売会社、投資信託運用会社、信託銀行の三者が受け取り、信託財産から徴収されます。この二者の関わり方については次節で詳しく解説します。

信託財産留保額とは投資家が投資信託を中途解約する場合に負担するコストです。解約によりほかの投資家が不利とならないようにするための費用といえます。

▶ 投資信託とは？

投資家

資金をまとめる

少額から投資

投資先を選定してくれる

投資信託（ファンド）

ファンドマネージャー（投資信託運用会社）

分散投資

さまざまな投資対象

株式
債券
不動産

国内　海外

▶ 販売手数料

投資家

❶購入額の1～3%程度を支払う

投資信託販売会社

▶ 信託報酬

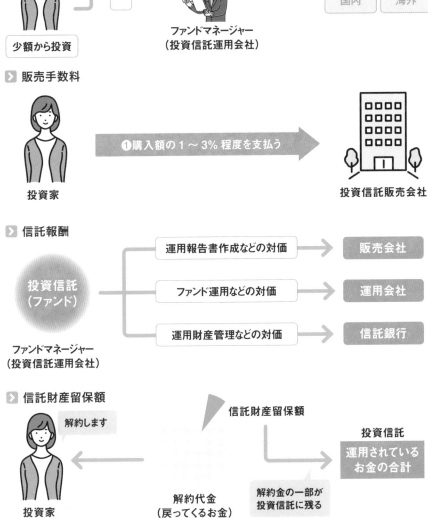

投資信託（ファンド）

ファンドマネージャー（投資信託運用会社）

運用報告書作成などの対価 → 販売会社

ファンド運用などの対価 → 運用会社

運用財産管理などの対価 → 信託銀行

▶ 信託財産留保額

解約します

投資家

解約代金（戻ってくるお金）

信託財産留保額

解約金の一部が投資信託に残る

投資信託

運用されているお金の合計

Chapter6
07

投資信託のしくみ

一般的な投資信託は、投資信託運用会社が商品を設計して、証券会社や銀行を通じて私たちに販売されています。運用会社は信託銀行と信託契約を結んでおり、信託銀行が実際に集めた資金を管理しています。

投資信託のほとんどは契約型投資信託

投資信託には、契約型投資信託と会社型投資信託があります。契約型投資信託とは、運用の専門家を擁する投資信託運用会社（委託者）とお金の管理を行う信託銀行（受託者）のあいだで信託契約を結ぶことで作られます。そして、金融機関などの販売会社が投資家（受益者）に投資信託を販売し、集めた資金をもとに投資信託運用会社が運用します。実際には信託銀行において投資家から集めた資金が管理され、投資信託運用会社が信託銀行に運用の指図（実際の運用の売買の指示）を行い株式や債券などに投資します。ほとんどの投資信託は契約型投資信託に該当します。

このように、一般的な投資信託は、販売会社、委託者、受託者で構成されます。それぞれの役割は右ページの表の通りです。

日本で販売されている投資信託は、契約型投資信託だけでも5,000本以上あり、どれに投資してよいのか判断に迷います。そこで、各投資信託の特徴や運用実績がわかるように、「目論見書」と「運用報告書」といった情報開示（ディスクロージャー）が義務付けられています。

会社型投資信託は投資法人が運用する

もう1つの会社型投資信託は、投資法人を設立し、投資家がその会社に出資することで作られます。投資家は投資主（株式会社でいう株主）となり、投資法人が運用により得た収益を配当として受け取ります。また、投資主総会で執行役員などの選任や解任に関する議決権を行使できます。特定の投資目的を持った会社へ出資をするのが会社型投資信託です。代表的なものに不動産投資信託（P.144参照）があります。

目論見書
その投資信託の説明書であり、運用対象や特色、運用手法、手数料などが記載されている。購入時に交付される交付目論見書と、投資家の請求に応じて渡す請求目論見書がある。

運用報告書
投資信託の運用実績や投資明細、今後の運用方針などの情報を投資家に報告するもの。決算期ごとに投資信託委託会社が作成し、投資家に交付する。

投資法人
投資信託および投資法人に関する法律に基づき、不動産など特定の資産への投資、運用を目的として設立される法人。

■ 契約型投資信託のしくみ

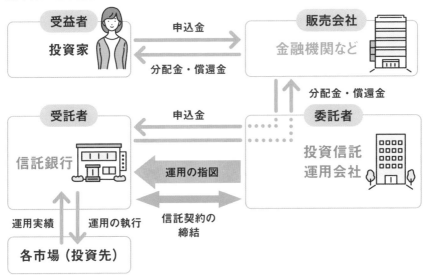

■ 投資信託における販売会社、委託者、受託者の役割

販売会社	投資信託を販売する。証券会社や銀行、保険会社などが該当する
委託者	投資信託の設定、運用を行う。投資信託運用会社やアセットマネジメントが該当する。実際の運用はファンドマネージャーが行い、受託者に対して運用の指図を行う
受託者	投資家から集めた資金の管理を行うほか、投資信託運用会社からの運用の指示を受け投資を行う。信託銀行が該当する。集められた資金は信託銀行の財産とは別に管理（分別管理）されるため、販売会社・委託者・受託者のいずれかが破綻しても投資家の財産は保全されることになる

■ 会社型投資信託のしくみ

Chapter6
08

投資信託の種類

誰に売るのか、なにに投資するのか、いつ買うのかによって投資信託は6つに分類できます。中でも一般的な投資信託は公募型投資信託、株式投資信託、追加型投資信託のタイプです。

販売する投資家が不特定多数か特定（少数）か

　販売先で分類すると公募投資信託と私募投資信託に分けられます。公募投資信託は不特定多数（50名以上）の投資家に対して販売する投資信託です。金融機関で販売される投資信託の多くはこれに該当します。一方、私募投資信託は特定かつ少数（50名未満の個人または適格機関投資家（プロ）のみ）の投資家に対して販売する投資信託です。

債券のみに投資するか株式を組み入れるか

　投資対象で分類すると公社債投資信託と株式投資信託に分けられます。公社債投資信託は運用対象に一切株式を組み入れず、国債や地方債、社債などの債券を中心に運用を行う投資信託です。代表的なものとして、MRF、MMF、中期国債ファンド、長期公社債投信があります。一方、株式投資信託は運用対象に株式を組み入れることができる投資信託です。株式を実際には組み込んでいなくても、状況に応じて株式を組み入れる可能性がある場合は株式投資信託に該当します。

販売期間が限定的か、自由か

　販売方法で分類すると単位型投資信託と追加型投資信託に分けられます。単位型投資信託はあらかじめ募集（販売）期間が限定されており、運用が始まってからは追加で購入できない投資信託です。販売後、一定期間は解約できないクローズド期間が設けられています。一方、追加型投資信託は運用が開始された後、いつでも時価で追加購入できる投資信託です。常に換金できる設計のものをオープンエンド型と呼んでいます。

クローズド期間
短期間のうちに大量の解約が出た場合に、運用する予定であったポートフォリオの構築や安定した効率的な運用ができなくなることを防ぐための措置といえる。

オープンエンド型
いつでも解約ができる投資信託の種類。日本で設定されている投資信託の多くは、オープンエンド型。

▶ 投資信託の種類

販売先による分類

公募投資信託 ― 一般的!

投資信託

不特定多数に販売

私募投資信託

投資信託

特定かつ少数の投資家に販売

投資対象による分類

公社債投資信託

ファンド →投資→ 債券

債券のみで運用

株式投資信託 ― 一般的!

ファンド →投資→ 債券 株券

株式を組み入れた運用

販売期間による分類

単位型投資信託

←――― 運用期間 ―――→

募集期間

クローズド期間

運用開始後は追加購入不可

追加型投資信託 ― 一般的!

←――― 運用期間 ―――→

購入&換金

いつでも時価で購入できる

🔘 運用手法は2つ

　投資信託の運用手法は、2つに分けられます。パッシブ運用は、あらかじめ定められたベンチマークの動きに、できる限り連動することを目指す運用手法です。アクティブ運用は、ベンチマークを上回る運用成績を目指す運用手法であり、ファンドマネージャーの腕にかかっているといえます。

ベンチマーク
投資信託が指標とする指数のこと。株式投資であれば株価指数、債券投資であれば債券指数が利用される。日経平均株価、東証株価指数、米国ではNYダウやS＆P500といった指数が該当する。

Chapter6 09

不動産投資信託（REIT）と不動産投資

不動産投資にはある程度まとまった資金が必要です。もっと小額で不動産投資したい、あるいはリスク分散のために複数物件に投資したいという投資家のために開発された金融商品が不動産投資信託（REIT）です。

不動産投資にはまとまった資金が必要

　不動産投資とは、マンションやアパートなどの不動産を購入し、貸し出すことで家賃を得るなどの投資方法をいいます。購入した不動産に空室が出れば家賃が入ってこない、流動性が低く換金しにくいといったリスクもありますが、融資を受けることができれば手元の資金以上の投資ができ、優良物件であれば大きな利益を生む可能性も秘めています。

　しかし、不動産を購入するためにはまとまった資金が必要になるため、不動産投資ができる人は限られます。

不動産投資信託は小口から投資ができる

　そこで、小口でも投資ができるようにと整備されたものが、不動産投資信託（REIT）です。不動産投資信託は、日本ではJ-REITとも呼ばれ、会社型投資信託（P.140参照）に該当します。投資法人が投資家から資金を集め、複数の不動産に投資を行います。その不動産から家賃収入を得たり、売却して運用利益をあげて、そこから投資家に分配金を支払います。

　REITではオフィスビル、マンションだけではなく、ホテルや物流施設など、幅広い不動産が投資対象となります。個人ではまず投資できないような物件に投資ができるうえ、不動産の管理や運用、賃貸募集なども専門家が行うため手間がかかりません。

　REITは証券取引所に上場していることから、株式と同様に取引でき、流動性もある程度高く、売買しやすいのが利点です。いくつかのREITに投資を行い、不動産の地域や種類を分散させ、地震などに対するリスクヘッジを行うことも可能です。

REIT
リートと読む。Real Estate Investment Trustの略で、アメリカで生まれたしくみ。

J-REIT
日本で上場している不動産投資信託。Jは日本を意味する。

物流施設
REITの種類によっては、物流を主に投資対象としているものもある。物流センター、倉庫、工場や研究開発施設などに投資するものも存在する。

▶ 不動産投資のしくみ

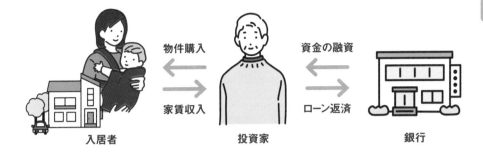

物件購入 ←

家賃収入 →

資金の融資 ←

ローン返済 →

入居者　　　　　　投資家　　　　　　銀行

▶ REITのしくみ

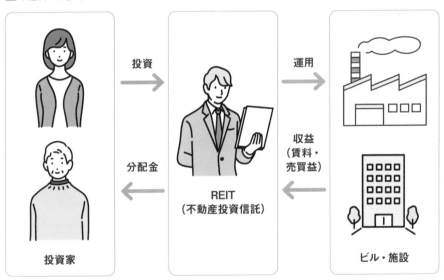

投資 →

分配金 ←

運用 →

収益
（賃料・
売買益）
←

投資家　　　　REIT
（不動産投資信託）　　　　ビル・施設

REITでは、投資家が拠出した資金をもとに不動産に投資を行い、収益を還元する。

REITのメリットとして
●少額投資で分散投資が可能
●賃貸管理不要で手間がかからない
●流動性が高くいつでも売買できる
といったことが挙げられます。

課税が優遇されるNISA①

Chapter6
10

NISAとは、少額投資非課税制度のことです。毎年360万円までの範囲で株式や投資信託を購入でき、最大で1,800万円までの投資に対して得られる配当金や売買益が非課税となるしくみです。

3種のNISAを一本化へ

2023年まで利用できたNISAの種類は、一般NISA、ジュニアNISA、つみたてNISAです。このうち、ジュニアNISAについては2023年で終了となりました。これまでのNISAのしくみでは、1月1日時点で20歳以上の場合、一般NISAまたはつみたてNISAのいずれかを選択しなければなりませんでした。また、一般NISAに関しては年120万円（最長5年の非課税期間を利用した場合で累計600万円）、つみたてNISAに関しては年40万円（最長20年の非課税期間を利用した場合で累計800万円）の制限があり、さらに投資したい人、資産形成を図りたい人にとっては物足りない面がありました。

そこで、NISA制度を一本化し、投資枠の拡充を図ることで、さらに使いやすいものへと改正されることになりました。

投資期間の恒久化、非課税期間も無期限へ

まず、NISA制度が一本化されることで、年間投資枠は「投資信託による積み立て部分」と「株式等売買部分」の2つが設けられます。これにより、年間の投資枠の上限が360万円となります。うち、長期の積み立てを目的として資産形成を図る枠が年120万円、株式などについては年240万円が上限となります。年間で360万円まで非課税投資が可能になることで、その時々の状況に応じて臨機応変にまとまった資金をもとに投資ができるようになります。

2つめのポイントは、投資可能期間が恒久化されることです。2023年までのNISA制度では、一般NISAが2028年まで、つみたてNISAが2042年までと期限が設けられており、若年世代な

NISA
年360万円の枠が利用できるものの、若年層はすべて使い切るのは難しいといえる。まずは年60万円などを目指すと、30年間で1,800万円の上限を達成できる。

非課税期間
売買を行い、利益が発生したとしても非課税期間内であれば税金がかからない。

▶ 投資枠の拡大、併用が可能に

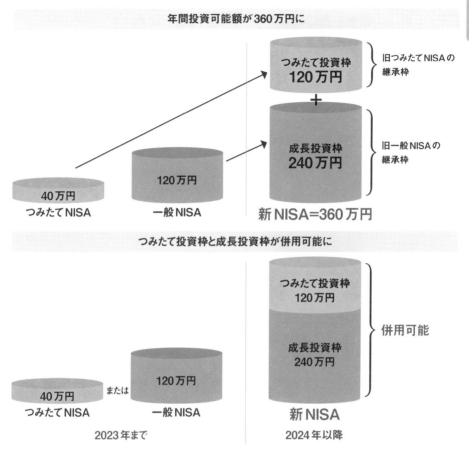

年間投資可能額が360万円に

旧つみたてNISAの継承枠　つみたて投資枠 120万円

旧一般NISAの継承枠　成長投資枠 240万円

つみたてNISA 40万円　一般NISA 120万円　新NISA＝360万円

つみたて投資枠と成長投資枠が併用可能に

つみたて投資枠 120万円／成長投資枠 240万円　併用可能

つみたてNISA 40万円　または　一般NISA 120万円　新NISA

2023年まで　　2024年以降

2024年からの新NISA制度では、それまでのNISA制度の投資枠よりもさらに拡充された。これにより、2023年まではつみたてNISAと一般NISAのどちらかしか利用ができなかったが、2024年以降はつみたて投資枠と成長投資枠の2つの投資枠を同時に利用できるようになった。

どでは投資可能期間として短期活用しかできない恐れがありました。恒久化されることで、今後資産形成を行いたい若年世代は期間を気にせずに資産形成を図ることができるようになります。

　3つめのポイントは、非課税保有期間が無期限化することです。これまでの一般NISAが非課税保有期間が5年、つみたてNISAが20年でした。こうした非課税期間も気にする必要がなくなります。

　個々人のライフプランに合わせて、NISAによる投資分をいつ売却するかなどを、より設計しやすくなるといえます。

Chapter6
11

課税が優遇されるNISA②

新NISA制度は非課税保有期間が無期限化します。売買しながら枠を最大限活用したり、コツコツ積み立てて1,800万円の枠を利用したりできるということ。着実に資産形成を行う手段として、活用する人は増えるでしょう。

投資枠が大幅に拡充された

　前項で年間360万円まで非課税投資が可能であると述べました。ですが、毎年継続して360万円を投資できるというわけではありません。非課税で保有できる限度額は、2つの枠を合わせて1,800万円までであり、一生涯でNISAを使って投資できる投資上限額が1,800万円ということです。そのうち、株式などに投資できる部分は合計で1,200万円までとなります。これまでの累計600万円や累計800万円から見れば大幅な投資枠拡充となります。

利益が非課税になる点が大きなメリット

　仮に年間で120万円、新NISA制度を利用して投資を行い、10年間、毎年コツコツと積み立てて資産形成を図ったとします。この場合の投資額の合計は1,200万円となります。もし、年3%の運用利回りで投資ができたとすると、この1,200万円は10年後に1,375万6,800円となります。利益が175万円6,800円生じており、通常の課税口座であればこの利益に対して20.315%（所得税15%＋住民税5%＋復興特別所得税0.315%）がかかりますが、新NISAでは非課税となり、まるまる利益を受け取ることができます。本来であれば、35万6,893円の税金がかかるところ、税金が全くかからなくなります。最大で1,800万円までの投資が可能と考えると、積み立てで毎年120万円行った場合には15年間で枠を使い切ることになります。

　上記事例で年3%の運用利回りで15年間積立投資を行ったとすると、投資額1,800万円に対して2,231万8,800円となります。利益は431万8,800円。本来であれば87万7,364円かかる税金がかかりません。効率的、効果的に運用が行え、かつ計画的に積立

課税口座
特定口座や一般口座のように、税金がかかる口座のこと。自動的に利益に税金がかかり、差し引かれるしくみを源泉徴収という。

積立投資
定期的に運用する金額を月ごとや年ごとに追加して投資する方法。時間分散が行えることで、購入単価をならすことが可能。投資初心者ほど実行すべき運用方法。

老後資金2,000万円問題
老後資金として公的年金などのほかに必要とされる資金が2,000万円であること。どのような生き方をするかで異なるものの、老後資産の1つの目安としてうたわれることが多い。

▶ 新NISA制度では、投資枠・投資可能期間・非課税保有期間が拡充される

	2023年までのNISA制度		新NISA制度 （2024年以降）
	一般NISA	つみたてNISA	
投資可能期間	2028年まで	2042年まで	恒久化へ
非課税保有期間	5年間	20年間	無期限化へ
年間投資枠	120万円	40万円	長期の積立部分 （投資信託） 120万円 株式などの部分 240万円
非課税限度額	600万円	800万円	合計1,800万円 （うち株式などは 1,200万円以内）

▶ 新NISAで積立投資を10年間行った場合

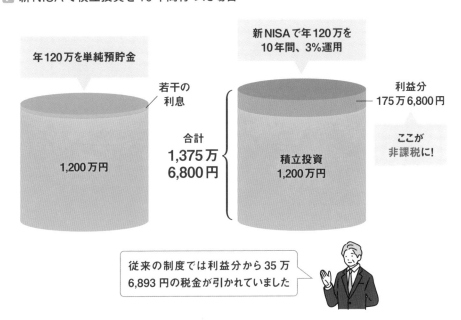

年120万を単純預貯金

若干の利息

1,200万円

新NISAで年120万を
10年間、3%運用

利益分
175万6,800円

ここが
非課税に!

積立投資
1,200万円

合計
1,375万
6,800円

従来の制度では利益分から35万
6,893円の税金が引かれていました

投資などを行うことができれば、老後資金2,000万円問題も解決
できることになりそうです。

資産は「貯める」から「増やす」時代に

貯金だけでは
お金は増えない

国内の市場金利は低い状態が続いています。現在、1,000万円以上を預け入れる10年定期預金の年利は0.2％で、1,000万円を10年預けても利息は20万円です。バブル期の定期預金の店頭金利は5％超で、10年の利息は500万円以上でした。当時は銀行にお金を預けているだけで勝手にお金が増えたのです。

総務省統計局が発表している家計調査年報（2022年）によると、65歳以上の夫婦のみ無職世帯の消費出資は1カ月あたり23万6,696円。一方で、収入は24万6,237円です。年金等の支給額の平均が22万418円なので、現時点の高齢者世帯でも不足分は貯蓄からまかなっていることになります。将来の年金水準はどんどん下がっていくため、年金収入だけで生活することは困難です。

また、現在政府はデフレ脱却のためにインフレ政策を進めています。インフレで物価が上昇すれば、貨幣価値が下がり、貯金していた資産の価値も減少します。将来の生活を守るためには、お金は貯めるだけでなく増やす必要があるのです。

新NISAやiDeCoで
お得に投資する

そこで活用したい制度がNISAやiDeCoです。どちらも投資をしながら節税できるお得な制度です。iDeCoは掛金が全額所得控除されるため、例えば月2万円（年間24万円）の掛金を支払った場合、所得税・住民税ともに毎年2万4,000円も安くなります（所得税10％の場合）。投資でお金を増やしつつ節税できるという二重のメリットがあります。

投資は分散投資が基本です。株式投資は銘柄の選び方がわからないという人は、リスクが低めのパッシブ型の投資信託から検討してみましょう。不動産投資に興味のある人は、運用のプロがさまざまな不動産に分散投資して運用してくれるREITが手軽でよいでしょう。

少額から投資を始められる便利な制度や商品がたくさんある今、これらを使わない手はないでしょう。

第7章

為替のしくみ

為替とは現金以外の方法で代金の支払いなどの決済を行うことを指します。また、海外旅行などで現地の通貨と日本円を交換することを外国為替と呼びます。本章では、為替のしくみや為替相場の決まり方などについて解説します。

Chapter7
01

基軸通貨と通貨の価値

基軸通貨とは、世界の通貨の中で中心的な地位を占める通貨です。貿易など、幅広く利用され、現在は米ドルがその地位を占めています。基軸通貨をもとにスムーズに外国との取引が行われ、通貨の安定にも役立っています。

基軸通貨は国際間で広く使われる通貨のこと

世界にはさまざまな通貨があります。こうした通貨の中で、中心的な地位を占める通貨を基軸通貨と呼びます。貿易や金融取引などに利用され、現在は米ドルがその地位を占めています。

基軸通貨になるためには、3つの条件を満たす必要があります。1つ目が、各国通貨の価値基準となる通貨であること。1ドル＝140円というように各通貨の価値がドルを基準にして明確にわかるようになっており、さまざまな通貨間の為替相場も米ドルを基準に決められています。2つ目が、各国の通貨当局が対外準備資産として保有する通貨（外貨準備）であること。現在、世界各国が対外準備資産として保有する外貨の割合のうち、およそ6割が米ドルとなっています。3つ目が、貿易や金融取引などに幅広く使用される決済通貨であること。

こうした3つの条件を満たし、為替相場の透明性が高く、取引が自由に行える通貨は今の世界では米ドル以外にありません。そのため、自国通貨以外に米ドルを法定通貨として利用できる国もあります。

基軸通貨があるとスムーズに外国との取引が行える利点があります。各国の通貨価値を量ることができ、外国為替の安定につながります。

世界の外国為替市場において、多くの市場参加者が取引する通貨のことを主要通貨といいます。米ドル・ユーロ・円・英ポンド・スイスフランが相当します。ジンバブエでは経済政策の失敗で2009年にハイパーインフレを起こした際に、一時期、日本円も法定通貨とされていました。米ドルやユーロには劣るものの、日本円も世界で認められているのです。

対外準備資産
中央銀行あるいは政府等の通貨当局が保有する対外債務返済等に利用する資産。為替変動に備え為替介入を行うために外貨準備を保有する側面もある。金も含まれる。

決済通貨
国際的に信用度が高い通貨が利用される。世界貿易で最も多く使用されているのが米ドル、次がユーロ、英ポンドと続く。日本の貿易取引では米ドルの使用が多い。

主要通貨
メジャーカレンシー（major currency）ともいう。ドル・ユーロ・円を世界三大通貨と呼ぶこともある。

ハイパーインフレ
急激にインフレが進むこと。戦後日本でも経験した。

▶ 基軸通貨とは？

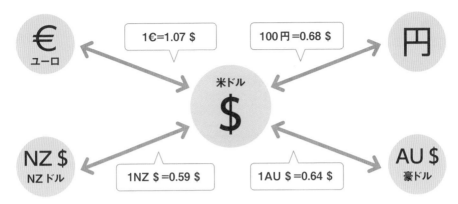

基軸通貨とは世界の中心的な地位を占める通貨。各国の通貨価値は、基軸通貨をもとに量る。

▶ 基軸通貨になるための3つの条件

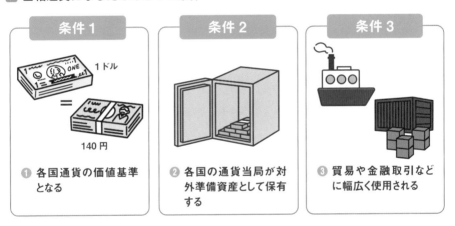

✋ ONE POINT

基軸通貨は英ポンドから米ドルへ

第二次世界大戦前までは、大英帝国が繁栄していたこともありイギリスのポンドが基軸通貨でした。しかし、アメリカの経済成長に伴って米ドルの力が強まり、第二次世界大戦後には米ドルが完全に基軸通貨になりました。

Chapter7 02

外国為替とは
異なる通貨の交換を行うこと

外国為替は、米ドルと日本円の交換など異なる通貨の交換を行うことを指します。外国為替取引は流動性が高く、1営業日の取引高は6兆ドルにも上ります。その多くは英国や米国で取引されています。

外国為替とは外貨を送金するしくみのこと

為替とは、振込や送金、手形や小切手を使用することで、現金を移動させずに代金の支払いなどの決済を行うことを指し、内国為替と外国為替に分けられます。

内国為替は、一般的に日本国内において金融機関を通じて日本円で送金することをいいます。一方、外国為替は、外国に米ドルなどの外貨を送金するしくみのことをいいます。

また、2章08で解説したように米ドルと日本円、ユーロと日本円など、異なる通貨の交換を行うことを外国為替と呼びます。例えば、貿易会社が海外との取引にドルで支払う契約を結ぶと、外国為替市場でドルを買って調達する必要があります。その際の円と米ドルの交換レートは毎日変わりますが、私たちがテレビや新聞で目にする為替レートは、インターバンク市場における直物市場のスポットレートです。対顧客市場の為替レートは、そこに金融機関の手数料が加わって決まります。

外国為替は同じ通貨が世界中の外国為替市場で取引されているため、金融商品として流動性が高く、為替ディーラー、為替ブローカーをはじめ、機関投資家、ヘッジファンドなどさまざまな市場参加者が多様な取引を行っています。そのため巨額の資金が動きます。世界規模で見ると、外国為替取引の1営業日平均取引高は、7.50兆ドルにのぼります。

東証プライム市場全体の時価総額が841兆円ですので（2023年11月末現在）、その規模の大きさがわかります。その取引の多くはイギリス市場、アメリカ市場で行われており、日本市場の外国為替取引は世界で5番目です。各国の為替市場では基軸通貨である米ドルを中心に自国通貨や主要通貨が取引されています。

直物市場
外国為替市場で金融機関同士の取引が行われる市場の1つ。外国為替の売買取引成立と同時、もしくは取引成立後2営業日以内に通貨の交換が行われる。直物市場での売買をスポット取引と呼び、直物市場で取引される為替レートをスポットレートという。

対顧客市場
P.46参照。通常1日1回公示された固定レートで取引を行うことになる。

為替ディーラー
顧客との取引の反対売買を行うことでポジションを調整するカバー取引を行ったり、為替売買で収益を狙う自己取引を行う専門家。

平均取引高
日本銀行「外国為替およびデリバティブに関する中央銀行サーベイ（2022年4月中取引高調査）について」に基づく。

▶ 内国為替のしくみ

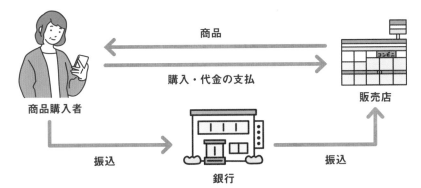

▶ 外国為替のしくみ

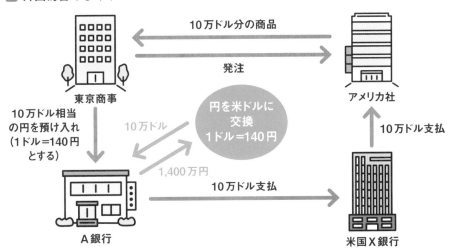

▶ 外国為替市場の取引参加者

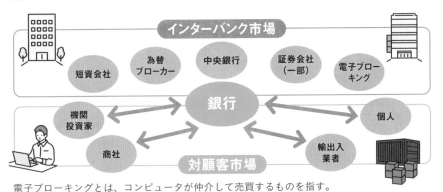

電子ブローキングとは、コンピュータが仲介して売買するものを指す。

Chapter7
03

円高・円安と為替

円高・円安とは外貨（主に米ドル）に対して円の価値が上がるか下がるかを意味しています。円高になれば輸入や海外旅行では有利ですが、輸出では利益が減ります。円安のときはこれと反対の現象になります。

円高とは円の価値が高くなること

外貨を交換するための為替レートは日々変動します。例えば1ドル＝140円だったのが1ドル＝120円になる動きを円高になるといいます。1ドルの商品が20円安く買えるわけですから、円の価値が高くなります。逆に、1ドル＝120円が1ドル＝140円になる動きが円安で、円の価値が低くなります。

円高は、輸入業・海外旅行では支払う円が減るため有利です。一方、輸出業では収入の円が減るため不利です。逆に、円安は輸入業・海外旅行に不利、輸出業に有利になります。

為替レートの変動は資産運用にも利用されます。円高のときに外貨を買って、円安のときに売れば為替差益が得られます。相場が逆に動くと為替差損が発生します。

為替レートの種類

為替レートには、銀行同士が取引するときのインターバンク・レート（TTM、電信仲値相場）と、銀行が顧客と取引するときの顧客向け為替レートがあります。

顧客向けの為替レートには企業向けと個人向けがあり、企業向けのレートは銀行と企業のあいだで決まった手数料をインターバンク・レートに加えたものとなります。

個人向けのレートにはTTSとTTB、現金売相場と現金買相場があります。TTSは銀行が顧客に売る（顧客が外貨を買う）とき、TTBは銀行が顧客から買う（顧客が外貨を売る）ときの電信でのレートです。現金売相場と現金買相場は、現金（紙幣・貨幣）の取引レートで、TTSとTTBにさらに手数料が上乗せされます。海外旅行のときの現金の両替に適用されます。

TTM・TTS・TTB
TTはTelegraphic Transfer（電信）、MはMiddle Rate（仲値相場）、SはSelling Rate（売相場）、BはBuying Rate（買相場）。TTMは顧客が銀行等の金融機関で外貨を売買する際の基準となる。TTSは対顧客電信売相場、TTBは対顧客電信買相場ともいい、金融機関によってレートは異なる。

現金売相場・現金買相場
金融機関から見て顧客に外貨の現金を売る、または買うときのレート。現金売相場はTTSより数円高く、現金買相場はTTBより数円安い。

▶ 為替差益と為替差損

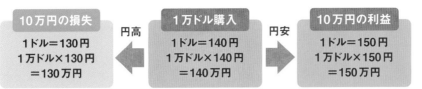

為替レートにより、差益または差損が生じる。購入時より円高となれば為替差損が、円安となれば為替差益が生じることになる。

▶ 企業向けレートの決まり方

● 米ドルの場合「公表相場（TTM）1ドル＝140円」と仮定

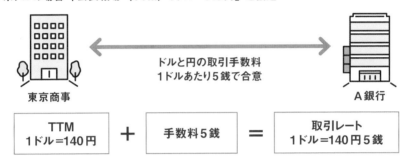

▶ TTSとTTBの関係

● 米ドルの場合「インターバンク・レート（TTM）1ドル＝140円」と仮定

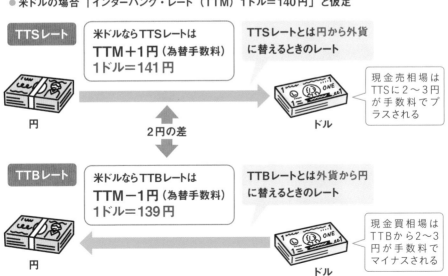

米ドルの場合、為替手数料は通常1円とされている。

Chapter7
04

日銀・FRB・ECBの為替介入

日銀やFRB、ECBなどの各国中央銀行は必要に応じて為替介入を行っています。中でも為替相場に大きな影響を与えるのが、為替介入と政策金利の変更です。その2点について解説します。

中央銀行による為替市場への介入

　日本銀行やアメリカのFRB、ヨーロッパのECBは為替相場の動向を常に注視しており、大きな変動が生じた場合には為替介入を行うよう指示を出します。

　日本の場合は、為替介入についての決定権は財務大臣が持っています。ただし、財務大臣が常に市場を監視するのではなく、日本銀行がその代理人として実務を担っているのです。日本銀行金融市場局為替課、国際局国債業務課バックオフィスグループがその役割を果たします。彼らは常に情報収集を行い、為替相場だけでなく債券市場や株式市場、**商品市況**等も注視しています。ここから得られた情報は、財務省の国際局為替市場課に報告されます。為替市場が急激に変動して、財務大臣が為替介入を決定した場合は、すぐさま日本銀行の担当部署が実施します。これを外国為替平衡操作といいます。ここ数年は行われていませんでしたが、2022年9月、24年ぶりに為替介入が行われました。

　アメリカの場合はFRBが為替介入を決定し、実務はニューヨーク連邦準備銀行が行います。FRBでは、**連邦公開市場委員会**（FOMC）が金融政策や金利誘導目標等を決定しています。FOMCの開催日は、日本でも為替相場が大きく変動する傾向があります。ヨーロッパの場合はECBが為替介入を決定して、ECBや各国の中央銀行が実務を行うのが一般的です。

政策金利の上下と為替市場

　一般的に、中央銀行は物価が上昇して景気が上がり基調の際は政策金利を上げます。景気が停滞している際は利下げを行います。

　3章09で解説したように、金利を上げた国の通貨は高くなり、

商品市況
金や石油製品、繊維、木材など商品取引所等で取引される代表的な商品の相場のこと。

連邦公開市場委員会
Federal Open Market Committee。日本ではFOMCと呼ばれることが多い。

▶ 日銀による為替介入のしくみ

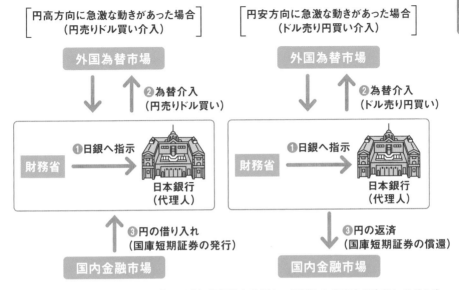

円高方向に急激な動きがあった場合は国庫短期証券を発行し、調達した円資金を売却してドルを買い入れる。逆の場合はドル資金を売却して円を買い入れる。

▶ アメリカとヨーロッパの為替介入

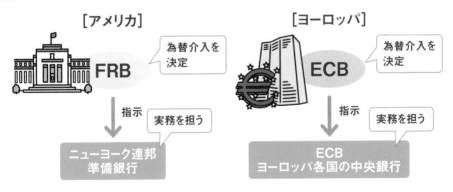

金利を下げた国の通貨は安くなることが多いため、政策金利を決定する委員会等が開催される日の為替相場は、**ボラティリティ**が大きくなる傾向にあります。

> **ボラティリティ**
> volatilityとは「変動のしやすさ」。投資においては価格の振幅の大きさや不安定さを示す。短期投資では大きいほうが収益を得やすい。

Chapter7 05

為替相場制度の種類

為替相場制度にはいくつか種類があり、各国の経済規模や経済状況によって採用している制度が異なります。日本ではかつて固定相場制がとられていましたが、現在では変動相場制へと移行しています。

固定相場制は為替レートを固定する制度

為替相場制度は固定相場制と変動相場制に大きく分けられます。固定相場制とは為替レートを固定、または変動幅を限定するしくみです。為替相場の変動に振り回されることを抑え、貿易をスムーズに行うことができます。しかし、経済状況によって金融当局が為替レートを維持する対策をとる必要があり、国の金融政策の自由度が奪われます。

固定相場制にはいくつか種類があります。代表的なドル・ペッグ制は、米ドルに対して自国の通貨の為替レートを固定するしくみで（pegは「固定」の意味）、米ドルに通貨価値が連動します。カレンシーボード制は、自国の通貨供給量を基準外貨（主に米ドル）の準備高までに抑え、ペッグ制の信頼を担保するしくみです（香港ドルが採用）。ほかに為替レートを一定の範囲に収める制度をバンド制といいます。

変動相場制は為替が変動する制度

変動相場制は外国為替市場で取引されている通貨の需要と供給に応じて為替が変動するしくみです。現在の日本を含む主要先進国で採用されています。経済規模が大きい国では、国内経済の動向に応じて金融政策を行うことができます。

新興国など経済規模が小さい国の場合には、自国の経済成長が海外動向に左右されやすく、固定相場制のほうが経済の安定につながります。

現在の先進国も、第二次世界大戦後は米ドルを基軸通貨とした固定相場制でした。これはブレトンウッズ体制と呼ばれます。1971年のニクソンショックをきっかけに変動相場制へ移行しました。

ブレトンウッズ体制
1944年に米国ブレトンウッズで行われた連合国44カ国の通貨金融会議で結ばれた協定に基づく体制。

ニクソンショック
1971年8月に、米国のニクソン大統領が金と米ドルの交換比率1オンス＝35ドルによる兌換を停止することを発表した。

国際通貨基金（IMF）
International Monetary Fundの略。為替政策の監視や国際収支が著しく悪化した加盟国への融資を行う国際機関。国際貿易の促進、加盟国の雇用と国民所得の増大、為替の安定を目的とする。

▶ 変動相場制と固定相場制のメリット・デメリット

固定相場制	変動相場制

メリット

為替相場が安定しやすい
一定の範囲で変動する

一定の範囲で変動する

‑‑‑‑‑‑‑‑‑‑‑‑‑‑ 基準値

デメリット

金融当局が為替レートを維持する必要
があり金融政策の自由が奪われる

メリット

国内経済の動向に応じた相場が実現
できる

デメリット

短期的な売買などにより為替相場が乱
高下する可能性がある

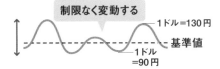

制限なく変動する

1ドル＝130円
基準値
1ドル＝90円

▶ ブレトンウッズ体制による固定相場制

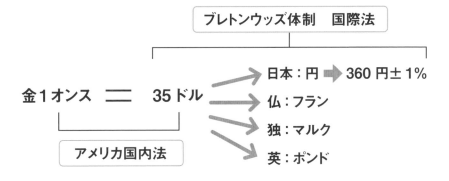

ブレトンウッズ体制　国際法

金1オンス ＝ 35ドル

日本：円 ➡ 360円±1％
仏：フラン
独：マルク
英：ポンド

アメリカ国内法

👉 ONE POINT

ブレトンウッズ協定による固定相場制

ブレトンウッズ協定によって、大戦後の復興に**国際通貨基金（IMF）**と世界銀行が
設立され、金との兌換が保証された米ドルを基軸とした固定相場制が決定されまし
た。IMFの加盟国は固定レートの±1％に維持するしくみで、日本円は1ドル＝
360円でした。

Chapter7
06

外貨預金のしくみ

外貨預金では、日本円の預金に比べると金利が高いケースが多く見られます。また、円安になることで為替差益が狙えるため、分散投資の一環として行う人も多数います。

外貨で預けて利益を出す

　現在日本では超低金利状態が続いているため、日本円で預金するよりも外貨預金のほうが金利も高く、得られる利息も多くなります。

　外貨預金とは、円を外貨に両替し、外貨で預金することで運用するしくみを指します。また、預け入れたときよりも引き出すときに円安になっていると為替差益が得られます。このように、金利と為替変動の両面から利益が狙えるのです。

　ただし、外貨に両替する際には為替手数料がかかるうえに、円高になると損失が発生する可能性があります。また、外貨預金は預金保険の対象ではないため、金融機関に万が一のことがあった場合に補償されない恐れがあります。外貨預金は、こうしたリスクや注意点を考慮したうえで行う必要があります。

実際の運用比率

リスク性金融商品
リスクとは、リターンの不確実性の度合いを示す。リスクがなくリターンが高い金融商品は存在しない。

外国株式
米国株式など海外の企業が発行する株式を指す。一般に海外の証券取引所に上場されている株式のこと。日本では昭和40年代半ば以降、直接外国株式に投資できるようになった。

　リスク性金融商品の中で外貨預金を保有する人は投資経験者のおよそ7人に1人となっています。積立投資を行っている金融商品の中にも、外貨預金と回答した人が6%います。株式や投資信託と比べると保有率は劣りますが、それでも分散投資の一環として人気があることがわかります。

　このほかにも外貨建ての金融商品には、外国債（外債）、**外国株式**（外株）がありますが、変動幅も大きくさまざまなリスクがあります。外国関係の投資の手始めという視点から見ると、価格変動の幅がある程度限られ、いつでも換金できる外貨預金は無難といえます。同じように外国為替を使って、さらに手軽に投資できるようにした金融商品が次節で説明するFXです。

▶ 外貨預金のしくみ

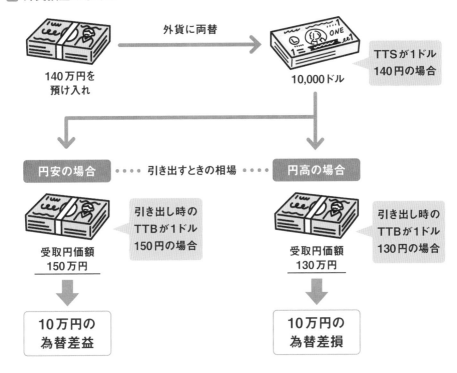

▶ 現在保有しているリスク性金融商品の中で、最も金額の大きい金融商品は？

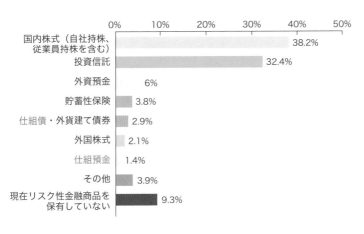

出典：金融庁「リスク性金融商品販売に係る顧客意識調査結果 令和3年6月30日」

仕組（債・預金）
仕組債はデリバティブ（P.190参照）が組み込まれたオーダーメイド型の債券。EB債やリバースフローター債などがある（P.174参照）。仕組預金はデリバティブが組み込まれた定期預金。通常の定期預金よりも金利が高い一方で、マーケットの動きによっては元本割れのリスクもある。

163

Chapter7

07

FX（外国為替証拠金取引）とは

FXとは、証拠金をもとに外貨を売買し利益を稼ぐ取引です。原則として、取引対象の通貨の受け渡しは発生せず、損益のやり取りのみを行います。やり方によっては大きな利益を得ることもできます。

損益のみのやり取りを行う取引

証拠金
FXや日経225先物取引では、売買金額の一定割合を証拠金として預けることで取引が行われる。

レバレッジ
てこを意味する。少ない資金で大きな金額を取引できることをレバレッジ効果と呼ぶ。

スワップポイント
FXで得られる利益の1つ。日本円をもとに高金利通貨を購入することで、毎日スワップポイントを得られる。業者によってスワップポイントは異なる。

売買手数料
ほかにも口座開設、管理、入出金で手数料がかかり、FX会社が外貨を交換する際のTTSとTTBの価格差（スプレッド）による差損は取引ごとに発生する。

　FXは外国為替証拠金取引と呼ばれ、証拠金をもとに外貨を売買して利益を出す方法です。外貨に投資して利益を得るという点は外貨預金と同じですが、FXでは手元の資金の25倍まで外貨の取引が可能です。これをレバレッジ取引といいます。100万円を口座に入金した場合、最大2,500万円分の外貨を売買できるということです。また、金利の高い通貨を買い、金利の低い通貨を売ることで金利差に相当するスワップポイントも受け取ることができます。スワップポイントによる日々の収益と、売買による差益が収益源となり、やり方次第では大きな利益を得られます。

　ただし、レバレッジを大きくすると損失も大きくなる可能性があります。また、原則として取引対象の通貨の受け渡しは発生せず、損益のやり取りのみを行う取引であるため、取引した外貨は引き出すことができません。

外貨預金と同様、コスト面で有利に運用できる

　FXは証券会社の一部やFX専業会社で利用できます。

　FXのメリットは、売買手数料が無料のケースも多く、無駄なコストがかからないことです。レバレッジをかけなければ外貨預金となんら変わりませんが、運用コスト面で有利なのです。そのため、日本では個人投資家が多く参加しています。

　レバレッジ取引のリスクとして追加証拠金（追証）があります。これは証拠金が取引損失などで不足したときに追加徴収される金銭のことで、期限内に支払えない場合はすべての取引が強制決済されます。

▶ FXは売りから入る取引ができる

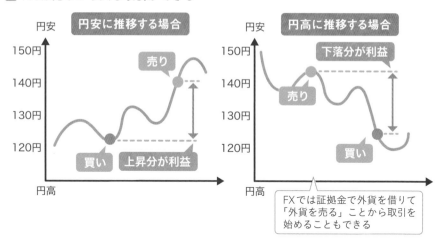

FXでは証拠金で外貨を借りて「外貨を売る」ことから取引を始めることもできる

▶ レバレッジでは最大25倍の取引ができる

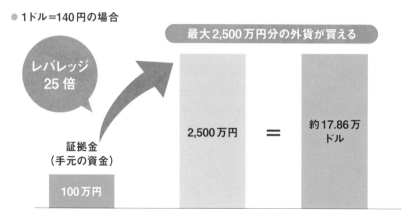

● 1ドル=140円の場合

▶ スワップポイントのしくみ（外貨を買う場合）

Chapter7
08

キャリートレードとは

金利差に着目して、金利の低い国の通貨を借り、その資金をもとに米国債などほかの金融資産を購入して金利差を獲得する手法をキャリートレードといいます。特に日本円で行われることを円キャリートレードと呼んでいます。

金利の低い通貨で借りて高い通貨で運用する

キャリートレードとは、金利の低い国の通貨を借りて資金調達を行い、その資金をもとに金利の高い通貨で運用を行って、利ザヤを稼ぐ方法です。例えば、円を借りて米ドルに換えて、米国債などほかの金融資産で運用します。金利差が大きいほど大きな収益を得られ、機関投資家やヘッジファンドといったプロが利用する資金調達、運用手法として知られています。資金返済時は円に戻すので、為替相場の変動には注意が必要です。

特に、円で資金調達を行うことを円キャリートレードと呼んでいます。日本円が低金利で、米ドルやユーロに次いで流動性が高く、各国の為替市場で売買しやすいため人気なのです。

個人では、FXが利用できます。日本円のように他国に比べて金利の低い通貨を売り、金利の高い通貨を購入すると通貨間の金利差であるスワップポイントが得られます。これも立派なキャリートレードといえます。

日本の個人投資家が為替相場に影響を与えている

日本の金融緩和は超低金利により円安を誘導します。同時に海外のヘッジファンドの円キャリートレードを誘発しています。円キャリートレードが加速すると、円を売る人が増えてさらに円安が進むことになります。

日本では、主婦をはじめ個人投資家がFXにより円キャリートレードを行うことも多く、相場を動かす要因にもなっています。海外ではこういった人たちのことをミセスワタナベと呼んでおり、日本からの個人のFX取引が、外国為替市場に大きな影響を与えていることを物語っています。

ミセスワタナベ
素人投資家を指す用語として使われている。過去の円安時に、日本の素人投資家がFXでレバレッジをかけて円キャリートレードを行い、マーケットに大きな影響を及ぼした。家庭の主婦までもが外国為替取引をしていたこと驚いた海外メディアによって使用され、世界的に有名な用語となった。キモノトレーダーともいう。

▶ 円キャリートレードの流れ

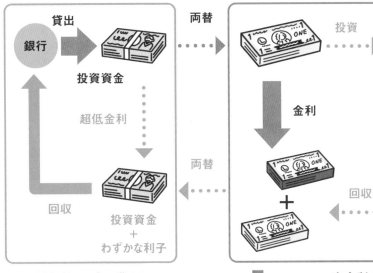

| 日本 | | 海外 |

貸出
銀行
投資資金
両替
投資
超低金利
金利
企業
銀行
両替
回収
回収
投資資金
＋
わずかな利子

低金利の日本で借りる　**差額**　高金利の海外で利益を得る

お金を動かしただけで **利益**

> 金利差が大きければ大きいほど収益を得ることができますが、為替の変動には注意が必要です。

 ONE POINT

キャリートレードの巻き戻しとは

円キャリートレードでは、運用している通貨の利下げが見込まれたり、為替が円高に動くなどの要因で、いったん利益を確定するために円を買い戻す動きが生じることがあります。これを「円キャリートレードの巻き戻し」と呼びます。このときは市場で円が買われるため、円高になります。

暗号資産(仮想通貨)に対する各国の態度

中国では規制の動きが強い一方、デジタル人民元の構想が

　自国の通貨を信用していない人びとにとって、暗号資産（仮想通貨。P.222参照）は信頼できる資産保全の手段となっており需要が高まっています。国によっては規制の方向に進む国もあれば、積極的に取り入れて国の発展に利用しようという国もあります。

　中国は2017年に暗号資産を発行して資金を調達するICO（Initial Coin Offering）を禁止し、暗号資産取引サイトを閉鎖しました。そのため中国では現在、暗号資産の取引が禁止されています。

　一方で、人民元をもとにした暗号資産（デジタル人民元）を作る計画も進んでいます。中国の中央銀行である中国人民銀行が発行・管理することで、紙幣のデジタル化を図っているのです。デジタル人民元が発行されれば、世界中に人民元が普及するといわれており、動向に注目が集まっています。

米国は州ごとに対応が異なる

　tripleAの調査では、米国の人口の13.74％にあたる約4,600万人が暗号資産を保有しているという結果が出ています（2021年時点）。市場における暗号資産の取引高は8位です。

　ただし、米国は州ごとに意見が分かれており、米国にある50の州のうち、暗号資産の取引を合法としているのは5州のみです（2021年時点）。それ以外は敵対的であることが多く、ニューヨーク州とワシントン州では取引のためのライセンスが必要であったりと、厳しい規制が設けられています。

日本は対応に慎重

　2017年4月に改正資金決済法が施行され、日本において暗号資産の存在が公に認められることになりました。自由に取引ができる一方で、不正送金などの問題に対処するため業界での自主規制も進められています。現在は暗号資産取引所の営業は金融庁の認可のもとでしか行えないなど慎重な姿勢を見せています。

第 8 章

債券のしくみ

債券は、国や地方公共団体そして企業が借り入れを行うために発行する借用証書のようなものです。債券には公共債や民間債など種類があり、発行する機関によって利回りやリスクが変わります。本章では、債券が発行されるしくみや、発行条件などについて解説します。

Chapter8 01

債券とはなにか

債券とは、資金調達のために国や地方公共団体、企業が発行する有価証券です。借用証書のようなものですが、所有者には定期的に利子が払われ、期日には額面金額が払い戻されます。期日前に売買することもできます。

債券はある程度信用力がないと発行が難しい

債券とは、資金の借り入れを行うために、投資家から資金を調達した証として発行する借用証書のようなものです。お金を直接貸し借りするため、債券の発行者（発行体）の信用が必要で、国や地方公共団体のほか、ある程度信用力のある企業が発行します。

債券にはお金を返す期限（償還期限）が決められており、期限まで保有していれば額面金額が払い戻されます。そして債券の発行体は、償還まで所有者に定期的に利子を支払います。そのため投資家は、貸したお金（元本）と利子を受け取ることができるというしくみです。

債券は有価証券なので、償還を待たずに売買できます。その際は市場価格で取引され、購入価格よりも売却価格が下がると元本割れする場合もあります。償還時は必ず額面金額が払われ、購入価格との差額が償還差益となります（P.52参照）。

償還期限が来る前に債券の発行体である企業等が破綻する可能性もあります。すると利息が得られなくなり、元本も保証されません。これをデフォルトといいます。ただし、債券は全く無価値になるとは限りません。破綻後に管財人が残った資産を清算して債権者に返すときには、担保付貸付＞債券（無担保）＞株式の順に支払われ、元本の何割かは戻ってくることがあります。この点は株式と異なります。

債券投資の利回りは、所有中に得られた利息と売買差益を合計して1年あたりに換算し、購入価格で割ったものです。所有期間の違いによって応募者利回り、最終利回り、所有期間利回り、直接利回りに分けられます。利回りを勘案しつつ、投資家は債券に投資するかどうかを決定します。

額面金額
債券などの券面に記載された金額（P.172参照）。最低申込単位を示す。新規に発行する際の価格を発行価格といい、額面100円あたりを基準に表示される。

元本割れ
金融商品の価格が当初購入した代金を下回る現象。債券では、額面金額より高く買わない限り償還されれば損はしないが、途中売買では元本割れのリスクがある。

デフォルト
defaultとは債務不履行のこと。破綻寸前で価格が暴落した債券、あるいはデフォルトした債券を買って利益を狙うヘッジファンドもある。もし破綻しなければ償還差益でさらに大きく儲かる。

▶ 債券発行の流れ

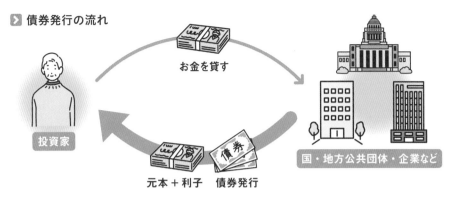

お金を貸す

投資家

国・地方公共団体・企業など

元本＋利子　債券発行

▶ 債券の各利回りの違いと利回りの計算式（%）

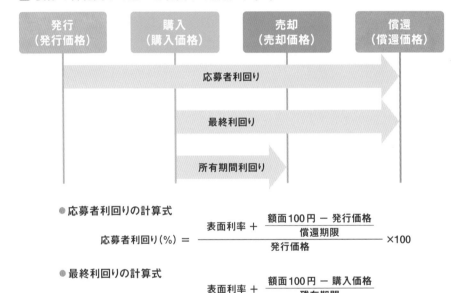

| 発行
（発行価格） | 購入
（購入価格） | 売却
（売却価格） | 償還
（償還価格） |

応募者利回り

最終利回り

所有期間利回り

● 応募者利回りの計算式

$$応募者利回り（\%）= \frac{表面利率 + \dfrac{額面100円 - 発行価格}{償還期限}}{発行価格} \times 100$$

● 最終利回りの計算式

$$最終利回り（\%）= \frac{表面利率 + \dfrac{額面100円 - 購入価格}{残存期間}}{購入価格} \times 100$$

● 所有期間利回りの計算式

$$所有期間利回り（\%）= \frac{表面利率 + \dfrac{売却価格 - 購入価格}{所有期間}}{購入価格} \times 100$$

● 直接利回りの計算式

$$直接利回り（\%）= \frac{表面利率}{購入価格} \times 100$$

応募者利回りは債券が発行されるときに購入して最後まで持っていた場合の利回り。最終利回りは発行後に債券を購入して最後まで保有した場合の利回り。所有期間利回りは発行後に債券を購入して途中で売却した場合の利回り。直接利回りは購入金額に対して毎年いくら利息の収入があるのかを見る場合の利回りとなる。

Chapter8
02

債券発行の流れ

債券を発行する際には、さまざまな約束事があり、それを発行条件といいます。発行条件には、額面金額、表面利率、発行価格、償還期限等があります。投資家の需要を満たすようにこれらの条件を決めて債券は発行されます。

📍 発行条件を決め、投資家に発売する

　債券を発行する際には、さまざまな約束事を決めます。この決め事を発行条件といい、主に次のような条件が挙げられます。

①額面金額

額面金額とは、債券に記載された券面額であり、満期日に償還される金額を指します。償還時以外は時価で取引されるため、必ずしも額面金額で売買されるわけではありません。

②表面利率（クーポンレート）

債券の額面金額に対する1年あたりの利子の割合のことを表面利率（クーポンレート）といいます。表面利率は一部債券を除き、発行時に決められる固定金利のため、満期まで変更されません。利付債券の利払いは、年2回行われることが一般的です。

③発行価格

発行価格は額面金額と同じとは限りません。発行価格が額面金額と同じ場合をパー発行、額面金額より高い場合をオーバーパー発行、低い場合をアンダーパー発行といいます。日本では、額面金額100円あたり100円で発行されるパー発行が多いです。発行体はできるだけ高く発行したいですが、そのときの金利動向などにより、引受の証券会社と相談して、投資家が買ってくれると判断した価格で発行されます。発行後に途中で売買する場合の価格は時価ですので、発行価格に関係なくいくらで買ったかによって償還差益・償還差損は変動します。

④償還期限

債券の発行者が債券の購入者に元本を返済する期限を償還期限といいます。償還時には債券は額面金額で償還されます。

額面金額100円あたり

額面金額は債券によりさまざまだが、債券の取引価格は額面金額100円あたりを単位とした価格で表示される。例えば、額面金額50,000円の債券の発行価格が99円という場合、49,500円が1通の販売価格になる。

▶ 債券が発行されるまで

1　額面金額の決定

満期日に償還される金額を決める

債券（借用証書）
〇年間〇〇円借金します
利息は年〇〇 % 支払います

額面金額

2　表面利率の決定

額面金額に対する
1 年あたりの利子を決める

債券（借用証書）
〇年間〇〇円借金します
利息は年〇〇 % 支払います

表面利率

3　発行価格の決定

新規に発行されるときの
債券価格を決める

4　償還期限の決定

債券の発行体が債券の購入者に
元本を返済する期限を決める

返済!

5　債券発行

債券の形態
利付債・割引債・仕組債

利付債とは、定期的に利子が支払われる債券を指します。割引債とは、利子がつかない代わりに額面より低額で発行され、額面金額で償還される債券を指します。仕組債はデリバティブなどが組み込まれた債券です。

割引債
ゼロクーポン債とも呼ばれる。

割引金融債
特定の金融機関が特別な法律に基づいて発行する割引債。償還期間は1年。額面1万円程度から購入できた。現在は発行されていない。

利札
電子化以前の紙の債券に付いていた利子と引き換える紙片（券）のこと。利払日に切り取って支払い場所の金融機関に持ち込むと利子を受け取ることができた。英語でクーポン（coupon）で、そのため利子のことをクーポンと呼ぶ。

ストリップス債
外国債の一種。元本利子分離債とも呼ばれる。利付債の元本部分と利札部分を分離し、それぞれゼロクーポンの割引債として取引する。Separate Trading of Registered Interest and Principal of Securities の略。

主な債券の形態と違い

債券を利子の支払い方法で分類すると、利付債と割引債に分かれます。利付債とは、1年ごとや半年ごとなど定期的に利子が支払われる債券を指します。このうち多くは固定利付債で、利払日にあらかじめ決められた利子が支払われる債券です。市場において金利の変動があったとしても、受け取る利子は変動しません。変動利付債は、市場の金利水準によって受け取る利子が変動する債券です。

割引債は、利子はもらえませんが、利子の代わりに額面より低額で発行され、額面金額で償還される債券です。例えば、額面100円あたり95円で発行される割引債の場合、5円が収益となります。いわば利子の先払い形式ともいえるものです。割引債には、割引金融債、国庫短期証券（P.40参照）があります。元本と利札を分けて割引債とするストリップス債もその一種です。

仕組債はリターンも大きい分リスクも高い

仕組債とは、スワップやオプションといったデリバティブ（P.190参照）が組み込まれたオーダーメイド型の債券です。大きなリターンを得られる可能性がある一方で、ハイリスクで大きく元本割れする可能性もあります。

仕組債には、例えばEB債があります。EB債は償還時の対象銘柄の株価があらかじめ定められた水準以上なら現金で、水準未満なら株式や上場投資信託で償還されます。仕組債には、ほかにもリバースフローター債、外国債の一種であるデュアル・カレンシー債やリバース・デュアル・カレンシー債（P.180参照）など、さまざまな商品があります。

▶ 利付債と割引債の違い

● 額面金額 100 万円、利率年 5%、満期 5 年債の例

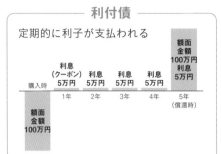

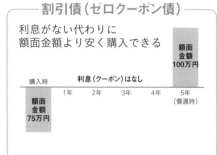

▶ 固定利率と変動利率による利付債の違い

固定利付債	利率が固定されている債券。利払日に、あらかじめ決められた利率の利子が支払われる。日本では大半の債券がこの形式
変動利付債	利率が市場の金利水準に連動して変わる債券。「個人向け国債変動10年」などがよい例

▶ 仕組債はリターンが大きい

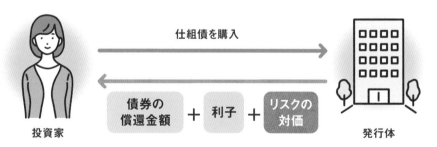

投資家 ── 仕組債を購入 → 発行体

債券の償還金額 ＋ 利子 ＋ リスクの対価

仕組債はオーダーメイド型なので投資家にとって都合のいい商品であるものの、デリバティブが組み入れられている分リスクも大きくなります。また、基本的には中途解約もできないしくみとなっています。

EB債
Exchangeable Bondの略で、他社株転換社債。

リバースフローター債
参照する短期金利が上昇すると利率が低下、金利が低下すると利率が上昇する債券。

Chapter8
04

債券の種類①
公共債

公共債には国債、地方債、政府関係機関債、地方公社債など、さまざまな種類があります。多くは金融機関がまとまった額で購入します。個人向け国債のように個人が購入できる公共債もあります。

国債や地方債などの総称が公共債

公共債とは、国や地方公共団体、政府関係機関、地方公共団体の出資によって設立された公社が発行する債券の総称で、発行体によって呼び方が変わります。国や地方公共団体が破綻する可能性はほとんどないので、信用力の高い債券です。特に国債は債券市場での存在感が大きく、流通量が多い債券です。世界各国が国債を発行していますが、日本の国債の信用力は世界的にも高いほうです。

公共債の種類

国債は、償還期間が1年以内の国庫短期証券、2〜5年の中期国債、10年の長期国債、15〜40年の超長期国債と、個人向け国債に分かれます。個人向け国債は額面1万円単位で購入が可能です。10年満期の変動金利と5年・3年満期の固定金利の3種類が存在します。

地方債は都道府県や市区町村が歳入不足を補うために発行します。目的は、公営企業の経費をまかなうためなど5つの事業の財源とする場合に限定されています。公募地方債は、地域住民を中心に広く購入を募る地方債です。銀行等引受地方債は、地方公共団体の指定金融機関を対象にした地方債です。

政府関係機関債は特別債とも呼ばれ、公庫等の政府関係機関が特別な法律に基づいて発行する債券です。政府の保証が付く政府保証債、政府保証を付けずに公募形式で発行する財投機関債などがあります。

地方公社債は、地方住宅供給公社や地方道路公社などが発行する債券です。

公営企業
地方公共団体が特別会計により運営する事業。上下水道、電気、ガス、病院などが該当する。料金収入をもとに事業を行う。

指定金融機関
地方公共団体から税金等の公金の収納や支払いなどの事務を一括で委託された金融機関。

財投機関債
財務省資金運用部から資金の出資・融資を受けている財投機関が発行する債券のうち、政府が元本や利子の支払いを保証していないもの。日本政策金融公庫や日本学生支援機構等が発行する債券が該当する。

地方住宅供給公社
国および地方公共団体の住宅政策の一翼を担うために、地方住宅供給公社法に基づき設立された法人。

▶ 公共債の種類（発行体による分類）

```
                          公共債   [債券]
        ┌──────────┬──────────┼──────────┬──────────┐
     国債         地方債      政府関係機関債    地方公社債
```

国債	地方債	政府関係機関債	地方公社債
【発行体】 国 【種類】 ● 国庫短期証券 ● 中期国債 ● 長期国債 ● 超長期国債 ● 個人向け国債	【発行体】 地方公共団体 【種類】 ● 公募地方債 ● 銀行等引受地方債	【発行体】 政府関係機関 【種類】 ● 政府保証債 ● 財投機関債	【発行体】 地方公共団体の出資によって設立された公社 ※近年では公社が解散するケースも見られる

▶ 個人向け国債の種類

	変動10年	固定5年	固定3年
償還期限	10年	5年	3年
金利の種類	6カ月ごとの変動金利	固定金利 利払いは半年に1回	固定金利 利払いは半年に1回
金利水準	基準金利 × 0.66	基準金利 − 0.05%	基準金利 − 0.03%
最低保証金利	0.05%		
発行時期	毎月		
中途換金	発行から1年経過後は額面金額にて途中換金可能。ただし、直近2回分の利子相当額（税引前）×0.79685の手数料が必要		
購入金額	1万円単位		

※基準金利は、それぞれ同じ期間の10年利付国債の利回りとなる

▶ 国債および国庫短期証券の保有別内訳

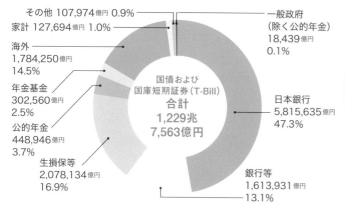

その他 107,974億円 0.9%
家計 127,694億円 1.0%
海外 1,784,250億円 14.5%
年金基金 302,560億円 2.5%
公的年金 448,946億円 3.7%
生損保等 2,078,134億円 16.9%
一般政府（除く公的年金）18,439億円 0.1%
国債および国庫短期証券（T-Bill）合計 1,229兆7,563億円
日本銀行 5,815,635億円 47.3%
銀行等 1,613,931億円 13.1%

国債の保有割合は日本銀行がその多くを占めています。これは日本銀行がデフレ脱却を目指し、貨幣供給量を増やす手段として大量の国債購入を行っていることが要因です。

注1：「国債」は「財投債」を含む　　注2：「銀行等」には「ゆうちょ銀行」、「証券投資信託」及び「証券会社」を含む
注3：「生損保等」は「かんぽ生命」を含む　　出典：財務省「国債等の保有者別内訳」（2023年6月）

Chapter8 05

債券の種類②
民間債

民間債には社債と金融債があり、社債はさらに普通社債と新株予約権付社債に分けられます。社債は企業の信用力によって金利や発行金額が変わり、信用度が高ければ金利は低くなります。

社債や金融債に代表される民間債

民間債とは、民間の企業が発行する債券の総称です。民間の企業が市場から直接資金を調達するために発行する社債、金融機関が根拠法に基づいて発行する金融債があります。

社債には普通社債と新株予約権付社債があります。普通社債は、単純に事業資金を借りる場合に発行する債券です。企業の信用度合いによって金利や発行金額が異なってきます。一般的に、信用度の高い企業の社債では金利が低くなり、信用度が低くなるにつれて金利は上がります。当然ながら、企業が倒産すれば社債は償還されません。

新株予約権付社債とは、転換社債型の社債です。株式に途中で転換してもよいし、半年あるいは1年ごとに利息を受け取りながら、額面で償還を待つこともできます。いわば、株式と債券のいいとこ取りをした社債なのです。株式に転換できる価格は転換価格と呼ばれ、株価が転換価格を上回ったときに株式に転換して売却すると利益が発生します。一方、株価が転換価格を下回る場合には、償還時まで債券として保有したほうが有利となります。

金融債とは、農林中央金庫法や信用金庫法などに基づき発行される債券です。以前は金融市場から長期資金を得るための唯一の手段として発行され、流通市場において大きな役割を占めてきました。しかし1999年以降の金融自由化に伴い、金融機関自体の資金調達が多様化したため、発行を停止もしくは縮小するケースも増えています。

なお、2000年10月から銀行による普通社債の発行が解禁されました。これにより、銀行も普通社債を発行するようになってきています。

転換社債
CB（Convertible Bond）と呼ばれる。株式と転換できる条件が付帯されている社債。株式の値上がりが見込める際には株価に転換することで利益を享受できる。金利は普通社債に比べ低め。

農林中央金庫法
農林中央金庫法を根拠に設立されたのが農林中央金庫である。国内有数の機関投資家としてグローバルな投資活動を行う側面も持つ。

信用金庫法
信用金庫について定めた法律。協同組織による信用金庫の制度を確立し、金融業務の公共性にかんがみ、その監督の適正を期するとともに信用の維持と預金者等の保護に資することを目的とする。

▶ 民間債の種類

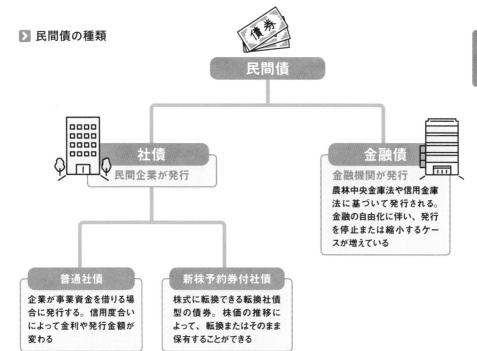

民間債

社債
民間企業が発行

金融債
金融機関が発行
農林中央金庫法や信用金庫法に基づいて発行される。金融の自由化に伴い、発行を停止または縮小するケースが増えている

普通社債
企業が事業資金を借りる場合に発行する。信用度合いによって金利や発行金額が変わる

新株予約券付社債
株式に転換できる転換社債型の債券。株価の推移によって、転換またはそのまま保有することができる

▶ 新株予約権付社債（転換社債型）の収益のイメージ

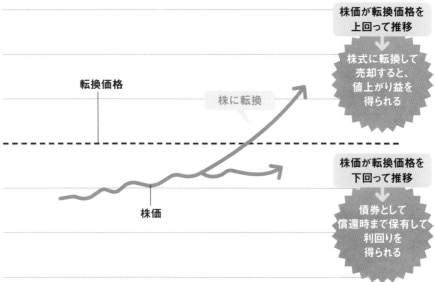

転換価格

株に転換

株価

株価が転換価格を上回って推移

株式に転換して売却すると、値上がり益を得られる

株価が転換価格を下回って推移

債券として償還時まで保有して利回りを得られる

株価が転換価格を上回ると、株式に転換して売却すれば値上がり益が得られる。
株価が低迷なら償還時まで債券として持って金利を得る。

Chapter8 06
債券の種類③
外国債

外国債（外国債券）は外債とも呼ばれます。元本払込・利子支払・償還が、それぞれ円か外貨のいずれで行われるかによって分類され、呼び名が変わります。外国債の中で割引債にあたるものをゼロクーポン債といいます。

債券の発行体、発行場所、発行通貨のいずれかが海外である

外国債（外国債券、外債）とは、債券の発行体、発行場所、発行通貨のいずれかが海外である債券です。元本払込・利子支払・償還がそれぞれ円か外貨かによって後述のように分類されます。

こうした外国債は、日本よりも金利が高いため高利回りを期待する投資家が多いですが、国内債券にない為替リスクが加わり、円高になると損失が発生する恐れがあります。

外国債の種類

ショーグン債とは、元本払込・利子支払・償還のすべてが外貨建てで、外国の発行体が日本国内で発行する外国債です。例えば、海外企業が日本で米ドルを調達するために発行します。

サムライ債とは、元本払込・利子支払・償還のすべてが円建てで、国際機関や外国政府、海外企業などが日本国内で発行する外国債です。為替リスクはありません。なお、海外市場で発行される円建て債券はユーロ円債と呼ばれます。

デュアル・カレンシー債とは、元本払込・利子支払は円、償還は外貨で行われる外国債です。デュアル＝二重を意味し、円建てと外貨建ての両面の性質を持ちます。リバース・デュアル・カレンシー債とは、元本払込・償還が円、利子支払が外貨で行われる外国債です。

外国債の中で割引債にあたるものはゼロクーポン債といいます。P.174で紹介したストリップス債もゼロクーポン債の一種です。そのほか、利子と割引の両方が得られるディープ・ディスカウント債と呼ばれるものもあります。

ユーロ円債
日本以外の国や地域で発行される円建ての債券。日本の規制が及ばない欧米のユーロ市場で発行されることが多いことから発行の自由度が高く、日本国内で調達するよりもコストが安い。そのため投資家に高い金利を払うことができ、投資家にとってもメリットがある。

ディープ・ディスカウント債
ディスカウント債（利付債と割引債の両方の特徴を併せ持つ債券）の一種。低クーポン債とも呼ばれる。利率を通常よりも低く設定し、発行価格も大幅に低く設定した債券。

▶ 外国債とは

外国債

いずれかが
海外
であるもの

発行体

発行場所

発行通貨

▶ 外国債の種類

	元本払込	利子支払	償還
ショーグン債（外貨建て外債）	外貨	外貨	外貨
サムライ債（円建て外債）	円	円	円
デュアル・カレンシー債	円	円	外貨
リバース・デュアル・カレンシー債	円	外貨	円

▶ 外貨建て外債（ショーグン債）のケース

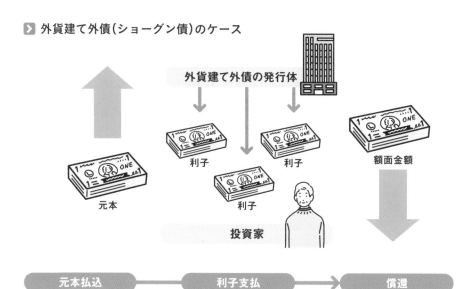

利子支払・償還とも外貨で支払われるため、為替の水準により円の受取金額が変動する。

債券の価格は金利と逆に動き、利回りはリスクを反映する

債券価格の変動要因とは

債券価格に影響を与えるものには、まず金利を挙げることができます。景気の変動などにより世の中の金利が上昇すれば債券価格は下落し、世の中の金利が下落すれば債券価格は上昇します。

債券価格は金利と逆の動きをする

債券の価格はさまざまな要因で変動します。償還は額面金額どおりと決まっているので、取引価格が値上がりすると利回りは低下し、値下がりすると利回りは上昇します。

債券価格に最も影響を与えるのは金利です。金利が上がると債券価格は下がり、金利が下がると債券価格は上がるという反対の動きをします（P.52参照）。これは金利変動リスクと呼ばれます。ほかに、債券を発行する国が抱える政治的・経済的・社会的な問題が影響を与えます。これはカントリーリスクと呼ばれます。

債券の利率は信用力と売りやすさで決まる

債券を発行する際の金利（表面利率）は、発行体の信用力に応じて変わります。民間債では、経営が順調で信用力の高い企業は確実に償還されるため利率は低く、倒産の心配がある信用力の低い企業は、投資家に買ってもらおうとして利率は高く設定されます。これは信用リスクといいます。もう1つの要因は流動性リスクで、売買の難しさです。信用リスクと流動性リスクが最も低いのは国債で、国債の金利を最低として各発行体のリスクを上乗せした金利で債券は発行されます。

債券のリスクが高まると、保有する投資家が一斉に売りに回り価格が暴落することがあります。償還は額面どおりなので、利子が同じなら価格が下がっても利回りは上がります。ですが、買い手がつかず売れない状況もあり得ます。

償還まで保有して、発行体が存続していれば利回りは確定ですので、債券の商品性は、途中で売買するか償還まで持ち続けるかで変わります。

金利変動リスク
金利の変動によって、資産や負債価値が変動するリスクのこと。

カントリーリスク
海外への投資や融資、貿易を行う際の相手国のリスクを示す。GDP、国際収支、外貨準備高、対外債務、司法制度、治安、政治情勢、経済状況などを加味して判断されることになる。

信用リスク
元本や利子といったお金が回収できなくなる可能性のこと。債券では国の財政難、企業の経営難によりデフォルトする確率の高さ。

流動性リスク
市場で売りたいときに売って現金化できないというリスク。人気がない、流通量が少ない債券は買い手がつかない恐れがある。

▶ 債券価格は金利変動に最も影響される

● 金利

金利	債券価格	
上昇	下落	金利が上昇すると、金利が低いときに発行された債券の魅力が低下するため、債券価格は下落する
低下	上昇	金利が低下すると、金利が高いときに発行された債券の魅力が高まるため、債券価格は上昇する

▶ 利子は信用力で変わる

信用力	金利	
高い	下がる	経営が順調だと 信用力が高いとされ利率は下がる
低い	上がる	倒産の心配があると 信用力が低いとされ利率は上がる

▶ リスクが高いほど利回りが上がる

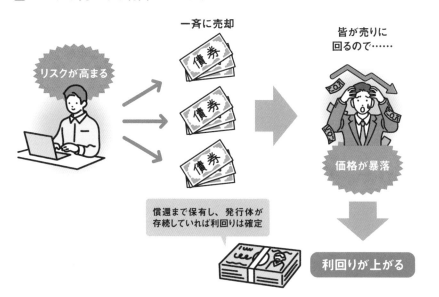

債券の格付けは誰が決めているのか

格付とは、第三者機関である格付機関が、返済能力を判断するために各債券と国や企業などの発行体を評価するものです。アルファベットを使って「AAA」、「D」などと表記されます。

格付けは国内外の民間企業の格付会社が決めている

債券を発行する国や企業などの信用リスクを計る尺度として、格付けがあります。格付けは、外部の第三者機関である格付機関が返済能力を判断するものです。格付機関によって表記方法は異なりますが、アルファベットの記号を用いてランク付けします。

この格付けは、民間企業である国内外の格付会社が付与しています。代表的な海外の格付機関として、ムーディーズ・インベスターズ・サービス（Moody's）、S&Pグローバル・レーティング（S&P Global Ratings）、フィッチ・レーティングスがあります。国内の格付機関としては、格付投資情報センター（R&I）、日本格付研究所（JCR）があります。

S&Pグローバル・レーティングの格付け例

ここではS&Pグローバル・レーティング（以下、S&P）の例で格付けのしくみを説明しましょう。格付けには大きく2種類あります。まず個別債務格付けは、社債や地方債などの個別債務を格付けするものです。次に、発行体格付けは、政府や地方自治体、事業会社といった発行体の信用力を格付けするものです。格付機関は、発行体をはじめとしたさまざまな情報源から情報を総合して格付けを決定します。

S&Pでは、AAAからDまでの評価があります。同じ評価でもプラス記号やマイナス記号を付して細かく表します。AA＋はAA－より上位です。BB以下は「投資不適格」とされ、特に日本では流動性が極端に低くなります。「投機的債券」「ジャンク債」とも呼ばれます。こうした格付けはグローバルに利用されており、投資家は債券や株式に投資を行う際の目安としています。

ムーディーズ・インベスターズ・サービス
世界の2大格付機関の1つ。米大手債券の格付業務を行う。1900年に設立され1909年から格付けを行う。世界の格付の40％のシェアを持つ。

S&Pグローバル・レーティング
米国の格付会社で世界最大手。150年以上の歴史を持ち、世界26カ国の事業展開を行っている。

格付投資情報センター
信用格付事業を中心に、年金運用のコンサルティング事業、投信評価事業など、さまざまな金融情報サービスを提供している。

日本格付研究所
国内で格付けを公表する発行体約1,000のうち、6割以上がJCRから格付けを取得している。特に金融関連や流通関連業界ではカバー率が70％を超えている。

▶ 格付けは第三者機関が行う

格付機関 ← 手数料 ／ 格付け → **発行企業**

企業が債券を発行するときに、格付機関に手数料を支払って格付けを取得する。格付けが高いと企業の安全性が高いことが認められたことになり、高い利子を付けなくても債券を発行できるようになる。

▶ 格付けとは

AAA 債券

A 債券　債券

B 債券　債券　債券

C 債券

この債券は信用できるし安全性が高いからAにしようかな……。

格付機関

▶ 主な格付機関の格付け例

Moody's	S&P Global Ratings	元本・利子支払の確実性
Aaa	AAA	最も確実性が高い
Aa	AA	投資適格債券
A	A	
Baa	BBB	
Ba	BB	投機的債券
B	B	
Caa	CCC	
Ca	CC	
C	C	
─	D	最も確実性が低い

発行体と発行方式により購入の方法が異なる

債券って
どこで買えるの？

国債は、そのほとんどが銀行や証券会社と機関投資家間などで行われる店頭取引での売買です。新発債は入札形式で販売されます。個人の場合は金融機関の窓口などで購入できます。

国債は入札形式で取引される

債券には発行市場で新たに発行される新発債と、流通市場ですでに出回っている既発債があります。発行自体は公募方式と私募（非公募）方式に分けられ、公募方式は不特定多数の投資家を対象に発行する方式、私募方式は特定少数の投資家を対象に発行する方式です。

発行される債券のほとんどは公募方式で、募集発行・入札発行・売出発行の３形態に分かれます。例えば債券の中心である国債の発行は入札発行で行われることが多く、国債市場特別参加者を中心に財務省の定めた224（2023年1月時点）の金融機関が競争入札し、価格の高い順に落札されます。

国債は証券取引所に上場されていますが、証券取引所での売買（取引所取引）は少なく、銀行や証券会社と機関投資家間などでの店頭取引が主となっています。

個人は金融機関などの窓口で購入する

個人で債券を購入する場合は、国債、地方債、政府保証債は証券会社、銀行などの金融機関で購入可能です。国債や地方債などは、定期的に募集がかけられます。その募集期間内に証券会社や銀行などで購入することになります。

企業が発行する社債は、証券会社でのみ購入することができます。利率が高めの債券では、人気が高いことから抽選または先着順で購入できる人が決まる場合があります。

なお、国内の債券の場合、店頭取引では取引手数料などのコストはかかりません。

新発債と既発債
新発債は発行時に決められた価格で販売されるが、既発債はそのときの市場動向で価格が変動する。

募集発行
一般的な債券の発行方式。発行者が発行総額、利率、発行価格、発行日、募集期間等をあらかじめ決めて投資家を募集する。

入札発行
発行総額を発行者があらかじめ決め、入札によって発行価格などを決める方式。

売出発行
発行総額を決めずに、期間中に応募された金額を発行総額にする方式。個人向け国債などが該当する。

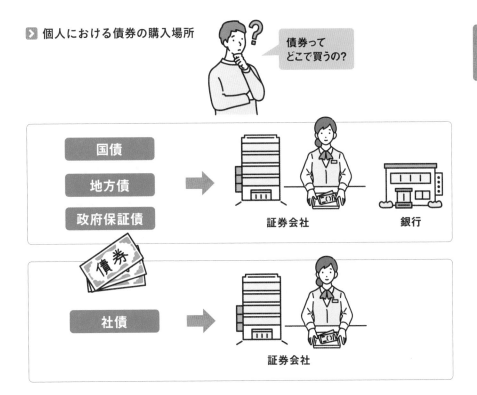

個人における債券の購入場所

債券ってどこで買うの？

| 国債 |
| 地方債 |
| 政府保証債 |

→ 証券会社　銀行

債券

| 社債 | → 証券会社 |

債券の取引費用

| 新発債 | ・・・・・・・・・・・ 手数料なしで購入できる |

| 既発債 | ・・・・・・ |

店頭取引
上場債券、非上場債券
取引コストは取引価格に含まれているので、手数料はかからない

取引所取引
上場債券
売買委託手数料あり

国債市場特別参加者
国債の安定した消化と流通を目的とした「プライマリー・ディーラー制度」に参加する金融機関。国債の応札、落札の義務がある代わりに、財務省との会合に参加して意見交換できるなど優遇措置がある。

政府保証債
元本の償還と利子の支払いを政府が保証している債券。具体的には、日本政策金融公庫、日本政策投資銀行等が発行できる。国の一般会計の予算総則において発行機関ごとに限度額が明記されている。

債券のルーツは株式より古い？

最初の債券は12〜13世紀頃に イタリアで発行された

　株式と債券の成り立ちについてはいくつかの説がありますが、債券は12〜13世紀頃が起源のようです。現在のイタリア北部、ヴェネチア周辺において、政府が債券を発行したのが最初といわれています。

　当時のヨーロッパの国王たちは、商人などからお金を借り、国の運営を行うことがありました。しかし国王が代わると、前国王の借金を返済しないことがあったため、商人たちはお金を貸すことを渋っていきます。これでは国の運営も立ち行かなくなりますので国王個人がお金の貸し借りを約束するのではなく、政府や議会がお金の返済を約束する形で債券を発行するようになったのです。その後、イタリアだけではなくスペイン、フランス、オランダなどでも債券が発行されるようになり、世界中へと広がっていきます。

世界初の株式会社は オランダで設立された

　一方、株式はというと、1602年にオ

ランダで設立された東インド会社が世界初の株式会社といわれています。大航海時代といわれた当時、航海に成功し貿易できれば莫大な利益を得られたものの、失敗すれば大損でした。これでは貿易は博打と一緒です。

　安定的な経営を行うのが難しい状況を打破するために、一度の航海につき出資金を募るようになります。航海に成功すれば、貿易で得た利益を出資者に分配し、失敗すれば出資金は失われます。これで会社としては航海成功による利益は分配により減るものの、失敗した場合の損失を分散できるようになり、安定的な経営を図ることができるようになったのです。

　このように債券のほうが300〜400年早くしくみが出来上がりました。お金の貸し借りはお金の誕生からあったはずなので、それを証券にしたものと考えると納得でしょう。

　なお、日本が発行した最初の債券は、明治3年（1870年）にロンドンで発行された外貨建て公債が最初といわれています。鉄道建設資金を調達するために発行されました。

第9章

高度化する金融

時代の変化に合わせて金融も高度化しています。株や債券、通貨といった原資産から派生したデリバティブ商品、仮想通貨の登場や、AIを使用して大量のデータをもとに運用を行うクオンツ運用などです。本章では、それら複雑化している金融について詳しく解説します。

Chapter9 01

株や債券から派生した商品「デリバティブ」

デリバティブとは、原資産から派生した金融商品の総称を指します。リスク回避手段のほか、手元の資金以上に取引ができるため投機的な取引として利用されることもあります。

原資産から派生した金融商品がデリバティブ

デリバティブは金融派生商品とも呼ばれます。金利や株式、債券、通貨、コモディティなどから編み出された金融商品のことです。元の商品を原資産といいます。もともとは株や債券などの価格が下落した場合に備えるためのリスク回避手段として開発されましたが、現在では投機的な目的も多くなっています。世界に取引所市場があり、日本では大阪取引所と東京金融取引所で取引されています。ほかにも店頭市場で、銀行や証券会社の独自商品が販売されています。

値下がりでも利益が得られ、レバレッジが効く

デリバティブがなぜ生まれたのか、なぜ商品が多様化して広まったのかは、次のような理由によります。

原資産で利益を上げるには、安く買って高く売ることです。しかし、デリバティブ取引では持っていない原資産を先に売ることができます。すると、価格が下がった場合に利益を得る手段になります。所有する原資産に対して、値下がりすると儲かるデリバティブを持っておけばリスクヘッジになります。

もう1つ、レバレッジを効かせて手元資金以上の取引ができます（通貨スワップなど一部を除く）。これがハイリターンを期待して投機的な取引を生み出しました。裏を返せばハイリスクで大きな損失を被る場合もあることを忘れてはいけません。

デリバティブ取引は、買い手と売り手の損益を合計するとゼロになる、ゼロサムゲームになります（証券会社等に支払う手数料は除く）。そのため、どちらかが利益を得るとどちらかがその分損失を被ります。

デリバティブ
derivativeとは「派生的な」という意味。

コモディティ
commodityは「商品」を指す。資産運用においては、商品先物市場で取引される「エネルギー・貴金属・非鉄金属・農産物」が該当する。インフレに強いとされ、株式や債券などと値動きが異なる。

東京金融取引所
1989年4月に、国内外の主要金融機関の出資により設立された金融先物取引所を起源とする。

ゼロサムゲーム
経済学におけるゲーム理論の用語。参加者の得点と失点の総和（サム）がゼロになるゲームのこと。

▶ デリバティブ取引の種類

(原資産)

金利・通貨・金・債券・株価・天候・原油・地震など

↓ ↓ ↓

先物取引 （P.192参照）
● 金利先物
● 債券先物
● 株価先物
● 商品先物

オプション取引 （P.194参照）
● 金利オプション
● 債券オプション
● 株価オプション
● 金オプション

スワップ取引 （P.196参照）
● 金利スワップ
● 通貨スワップ

▶ デリバティブ取引の目的と効果

リスク回避

下落しそうだから先に売っておくか……

先物・オプション取引で売りヘッジを行えば、保有株が下がっても損失が少ない

効率的資産運用

レバレッジで資金が増える!

手元資金が少なくてもレバレッジで大きな金額での投資ができる

 ONE POINT

デリバティブ取引の発祥はオランダ

デリバティブ取引の発祥は、17世紀のオランダのチューリップ市場といわれます。当時大きな市場であったチューリップの球根がオプション取引の対象となっていたのです。現代のデリバティブは1981年の世界銀行とIBMとで行われた通貨スワップから大きく発展したといわれています。

Chapter9 02

将来の売買の約束を取引する「先物取引」

先物取引は売買価格の差額分だけをやり取りする差金決済という方法で取引されます。リスクヘッジにも利用でき、売りと買いのどちらからでも取引を始められます。安定した事業運営ができるのもメリットです。

将来の売買の約束をする取引

先物取引とは、ある商品を、現時点で決めた価格で将来売買する約束をする取引です。現時点と決済日の価格変動を狙って、差額分で利益を出すしくみです。

実際の売買は取引開始日から約束した日のあいだであればいつでもできますが、約束期日がくると自動的に決済されます。決済時には実物の取引は行わず、差額分だけを取引所を介して受け渡しする「差金決済」が行われます。

また、先物取引はレバレッジ取引ができるほか、アービトラージ取引（裁定取引）も行われます。これは、2つの価格に一時的な乖離が生じた場合に、割高なものを売って、同時に割安なものを買い、のちにこの2つが適正価格に戻ったところでそれぞれ決済を行い、利益を得る取引です。価格差が生じる場面は3つあり、1つが市場間（同じ商品が異なる先物市場で取引されている）、もう1つが限月間（同じ商品が別の期日で取引されている）、最後が価格間（現物の価格と先物の価格が違う）となっています。

買いヘッジと売りヘッジ

先物取引の本来の目的はリスクヘッジです。将来買う予定で値上がりしそうな商品を先物取引で買う、将来売る予定で値下がりしそうな商品を先物取引で売ることで損失を防ぎます。相場が逆に動くと損をしますが、現物取引と併用すれば両者の利益と損失を相殺できます。仮に利益が減っても、大きな損失を回避できます。将来のキャッシュフローを確定できるので、安定した事業運営ができるのも利点です。

差金決済
有価証券の受け渡しを行わずに、売買価格の差額のみを受け渡す取引。主に先物取引やFXで行われる。株の現物取引では禁止されている。

アービトラージ取引（裁定取引）
市場間の例として大阪取引所とシンガポール取引所にそれぞれ上場する日経225先物の価格差を狙う取引などがある。アービトラージ取引を行う投資家をアービトラージャーという。

限月
先物取引やオプション取引の期日のこと。

▶ 先物取引とは？

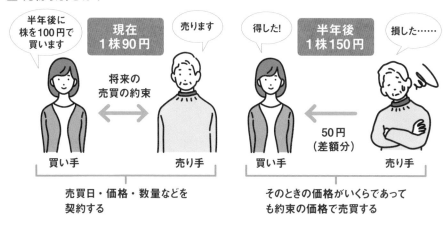

売買日・価格・数量などを
契約する

そのときの価格がいくらであって
も約束の価格で売買する

▶ 先物取引のヘッジ機能（債券先物で現在の価格が100円と仮定した場合）

● 買いヘッジ

【現物】100円
【先物】100円で将来購入する約束

105円に上昇

【現物】105円で購入⇒5円の損失
【先物】100円で購入⇒5円の利益

合算すると損失を相殺できる

● 売りヘッジ

【現物】100円
【先物】100円で将来売却する約束

95円に下落

【現物】95円で売却⇒5円の損失
【先物】100円で売却⇒5円の利益

合算すると損失を相殺できる

買う場合、将来現物価格が上がると損をするが、先
物を買っておくと得をする。売る場合は、将来現物
価格が下がると損をするが、先物を売っておくと得
をする。現物と先物を併せて取引することで、買い
でも売りでも損失を相殺できる。

👉 ONE POINT

日本は世界で初めて先物取引を行った国

世界で初めて公に先物取引を行ったのは日本といわれています。享保15年（1730
年）に、徳川幕府は米の豊凶作にかかわらず取引価格を安定させるために、大坂の
堂島米会所を公認の市場としました。ここでは正米商い（現物取引）と帳合米商い
（先物取引）が行われ、敷銀という証拠金を積んで差金決済が可能でした。ときの
8代将軍徳川吉宗は、米将軍とも呼ばれます。

Chapter9
03

買う権利と売る権利を売買する「オプション取引」

オプション取引では、将来商品を売買する権利を取引します。権利のみの取引のため、実際に権利を行使するか放棄するかは選ぶことができます。先物取引と同様、リスク回避のために開発されたデリバティブ取引です。

買う権利と売る権利を売買する取引

オプション取引とは、将来の特定の日に、特定の商品（原資産）を、現時点で取り決めた価格で売買する「権利」を取引することをいいます。一見、先物取引と同じように思えますが、オプション取引では商品を実際に売買するかどうかは自由であり、損失が発生するのであれば権利行使しないという選択肢も可能です。

例えば、A社株式を3カ月後に1株1,000円で買える権利を購入し、3カ月後に1株1,200円に値上がりしたとします。その場合、買う権利を行使して1,000円で買い、1200円で売却すれば1株当たり200円の利益が発生します。逆に800円になっていた場合は売買すると200円の損失が発生するため、権利を放棄して買わない選択をすることもできます。

権利行使
オプションの買い手は、決めた価格で売買する権利を行使できる。この場合、売り手は当初決めた価格で売買に応じなければならない。いつでも権利行使可能なタイプをアメリカンタイプと呼ぶ。

買い手と売り手の双方が利益を得られるプレミアム

オプション取引にはコール・オプション（買う権利）とプット・オプション（売る権利）の2種類があり、それぞれに売り手と買い手がいます（右ページ図参照）。先の株式の事例のように、買い手は権利の行使と放棄を選べるのに対して、売り手は買い手が権利行使する場合に必ず応じなければいけないしくみとなっています。そのため買い手に利益が出るときには、売り手に損失が発生します。

これでは買い手ばかりが得してしまうため、取引当初に買い手から売り手に対してプレミアムを支払うしくみとなっています。売り手は、買い手が権利を行使しなければプレミアム分の利益が得られます。買い手は支払ったプレミアムを超える利益が得られる状況なら権利を行使すればよいのです。

プレミアム
買い手が権利を確保するために売り手に対して支払う手数料のこと。オプション料ともいう。売り手はプレミアムを買い手から受け取ることで、買い手の権利行使に応じる義務を負うことになる。

▶ オプション取引とは

3カ月後に株を1,000円で買う権利を購入 →

← プレミアムを支払う

売り手　　　**買い手**

3カ月後

株が1,200円に値上がり	株が800円に値上がり

権利を使います！

権利を放棄します！

1,000円＋プレミアムが利益になる　　1,000円で株を購入＝200円の利益になる　　株が売れなくてもプレミアムが利益になる　　プレミアムは支払うが大きな損失は出ない

▶ オプション取引で利益と損失が発生するしくみ

	買い手	売り手
コール・オプション	買う権利を保有する（権利の放棄または行使を選ぶ）株価が上がるほど利益が得られる	買う権利を与える（売る義務を負う）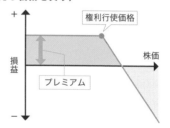株価が下がっても一定の利益を確保できる
プット・オプション	売る権利を保有する（権利の放棄または行使を選ぶ）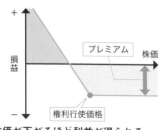株価が下がるほど利益が得られる	売る権利を与える（買う義務を負う）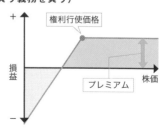株価が下がらなければ一定の利益を得られる

利益は無制限・損失は限定	利益は限定・損失は無制限

Chapter9 04

キャッシュフローを交換する「スワップ取引」

スワップとは交換するという意味です。代表的なスワップ取引には、同じ通貨で変動金利と固定金利を交換する金利スワップや、米ドルと日本円といった異なる通貨を交換する通貨スワップがあります。

同じ価値のキャッシュフローを交換する取引

キャッシュフロー
お金の流れ、収入と支出のこと。会計用語としては、企業の一定期間の営業・投資・財務の活動での収入と支出を指す。金融商品においては、売買での収支や利子など商品が生むお金の流れを指す。ここでは後者のこと。

現在の価値が同じキャッシュフローを交換する取引をスワップ取引と呼びます。スワップ取引はリスク回避の手段として利用されるほか、効率的な資金調達方法としても広く利用されています。代表的なスワップ取引には、金利スワップ、通貨スワップ、クーポン・スワップといったものがあります。交換する期間や条件は当事者間で調整して決める必要があるため、店頭取引となります。

代表的なスワップ取引

金利スワップとは、金利のみを交換対象とするスワップ取引です。金利の異なる同じ金融商品の利払いだけを当事者間で交換します。最も多いのは固定金利と変動金利の交換です。例えば、固定金利でお金を借りていて将来金利が下がると予想する人は、変動金利のほうが利息が減らせます。一方で、変動金利でお金を借りていて将来利息を確定するために固定金利にしたいと考えている人がいたら、お互いの元契約はそのまま継続し、発生する利子だけを交換する取引をするのです。

エクイティ・スワップ
株価指数と金利、または異なる株価指数同士を交換するなど、キャッシュフローの一方が株式に関連したもの（エクイティ資産と呼ぶ）で行われるスワップ取引のこと。

通貨スワップとは、異なる通貨間で金利と元本を交換する取引です。例えば、米ドルでの支払いのために米ドル建ての社債を発行し、通貨スワップで円建ての債券と交換します。すると円で利子の支払いや元本の償還ができるため、将来の為替変動リスクをなくし、支払額を確定できます。通貨スワップのうち金利部分だけ交換することをクーポン・スワップと呼びます。主に輸出入において利用されます。

コモディティ・スワップ
コモディティの変動価格と固定価格を交換する取引のこと。商品スワップとも呼ぶ。

このほかにも、エクイティ・スワップ、コモディティ・スワップといったスワップ取引があります。

▶ スワップ取引のしくみ（金利スワップの場合）

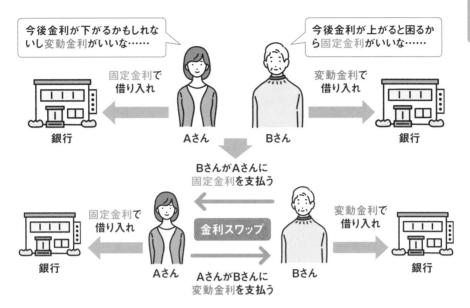

▶ 通貨スワップの例

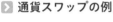

👉 ONE POINT

通貨スワップのはじまり

世界最初の通貨スワップの取引は、1981年に世界銀行とIBMのあいだで、米ドルとスイスフランを使って行われた取引です。当時、IBMはスイスフラン建ての社債を起債していました。しかしスイスフランが米ドルよりも下落しており、米ドル建てに変えたいというニーズがあったため、世界銀行との協議の結果行われたといわれています。

Chapter9
05

信用リスクを取引する「クレジット・デリバティブ」

クレジット・デリバティブとは、貸したお金が返ってこない場合に備えるリスク回避のための取引です。従来のデリバティブでは株価変動等の市場リスクを取引しますが、クレジット・デリバティブでは信用リスクを取引します。

信用リスクの売買＝保証の取引

債券で投資している企業が倒産したり債務不履行となった場合、保有する債券が無価値となり投資家は大損する可能性があります。その万が一に備えてクレジット・デリバティブが開発されました。

クレジット・デリバティブとは、社債や貸付債権の信用リスクをスワップやオプション取引により売買するものです。企業の信用リスクから起こり得る損失をヘッジする取引をすることで、買い手は債務不履行等があった場合に保証を受けることができます。個別の社債などを対象に個別の条件を決めてやり取りを行うため、店頭取引となります。

クレジット・デリバティブの種類

クレジット・デリバティブは大きく分けて「クレジット・デフォルト・スワップ（CDS）」「トータル・レート・オブ・リターン・スワップ（TROR）」「クレジット・リンク債（CLN）」が存在します。クレジット・デフォルト・スワップとは、社債や貸付債権の信用リスクを売買するオプション取引が該当します。

トータル・レート・オブ・リターン・スワップとは、債券が生み出す全損益（利子および売買損益）と市場金利を交換する取引です。市況悪化等により保有する債券が売却できない場合に、債券を売却した場合と同じ効果を得ることができます。

クレジット・リンク債は仕組債（P.174参照）の一種で、信用リスクを別の債券（指定会社の債券）の信用に結び付けた債券です。契約で指定する会社において、債務不履行などのクレジットイベントが発生しなければ、満期日に額面で償還されますが、発生した場合は投資家がその損失を負うことになります。

貸付債権
資金の貸付けによって生じる債権。具体的には、銀行が企業に融資する際の金銭債権や、個人向けの住宅ローン（住宅資金貸付債権）などが該当する。

クレジット・デフォルト・スワップ
特定の会社等が倒産した場合に、あらかじめ定められた範囲の金額が支払われる。債務不履行になった場合の損失を肩代わりしてくれる。

クレジットイベント
対象となる債務の履行に関して支障をきたす恐れがある行為や事象のこと。発生すると、クレジット・デリバティブ商品では支払いが行われる。

▶ クレジット・デフォルト・スワップのしくみ

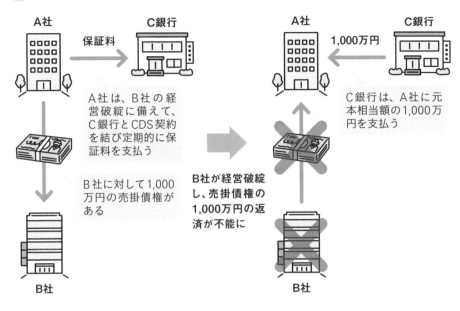

A社 **C銀行**

保証料

A社は、B社の経営破綻に備えて、C銀行とCDS契約を結び定期的に保証料を支払う

B社に対して1,000万円の売掛債権がある

B社

B社が経営破綻し、売掛債権の1,000万円の返済が不能に

A社 **C銀行**

1,000万円

C銀行は、A社に元本相当額の1,000万円を支払う

B社

▶ トータル・レート・オブ・リターン・スワップのしくみ

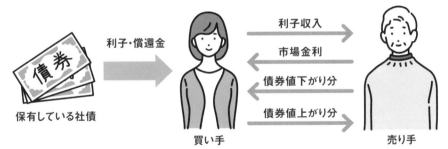

債券

保有している社債

利子・償還金

利子収入

市場金利

債券値下がり分

債券値上がり分

買い手 **売り手**

トータル・レート・オブ・リターン・スワップでは、一定期間のあいだに債券が値上がりした場合、買い手は売り手に値上がり益に相当する金額を支払います。一方、値下がり損が生じた場合には、売り手が損失を引き受けるため値下がり分の金額を売り手に支払います。売り手は値上がり益を受け取る対価として市場金利を支払います。

Chapter9 06

複数の投資信託を組み合わせて運用する「ファンドラップ」

ファンドラップとは、運用目的等に照らして複数の投資信託を組み合わせて運用するものです。投資方針の決定から運用、見直しまでトータルのサービスが受けられます。

専門家がファンドの選定、運用アドバイスを行う

通常の投資信託の場合、自分で選んで自分で運用を行い、自分で見直しをしなければなりません。しかしファンドラップの場合、まとまった資金を証券会社や銀行に預ければ、そこに所属する投資の専門家がファンドの選定を行うほか、運用状況の確認、その時々の経済情勢に合わせた運用の見直し、アドバイスを行ってくれます。

運用対象は投資信託に限定されますが、選定するファンドも厳選されたものばかりであり、運用報告書等の提供など、運用後にどうなっているかも逐一報告があります。運用状況や市場環境に合わせてリバランスやポートフォリオの組み替えも行ってくれるため、運用に時間を割きたくない人にとっては好都合なサービスです。

ファンドラップの投資金額や手数料等の費用は？

ファンドラップでは、通常の投資信託と同様、運用期間中は信託報酬がかかります。販売手数料はかかりませんが、資産残高に対して一定料率が課されるケースや成功報酬で手数料がとられるケースがあります。取扱会社によって名目はさまざまですが、投資顧問料や運用管理手数料に加え、投資信託ごとの信託報酬が発生します。仮に毎年資産残高の2％前後の運用コストとすると、毎年2％を超える高い運用利益が必要になります。

投資の際は、数百万円程度から利用できます。似たようなしくみにラップ口座がありますが、こちらは数千万円以上必要となる場合が多いです。ラップ口座は投資対象が株式や投資信託など幅広く、富裕層向けの運用サービスとなっています。

リバランス

資産の再配分。運用中、各金融資産の価格変動により、資産割合が変わることになるため、保有割合が多くなった資産を売却し、保有割合が少ない資産を購入することで目標としている割合に戻す。

ポートフォリオ

金融商品の組み合わせのことを示す。株式や投資信託をどのぐらい保有するのか、また具体的な銘柄をどうするのかを考えて組み立てる。

成功報酬

運用成果に応じて、手数料を支払う形態。ファンドラップには、運用資産の時価評価額に対して手数料を課す固定報酬型と、運用成果に応じて収益の何％ととる成功報酬型による手数料形態がある。

▶ ファンドラップのしくみ

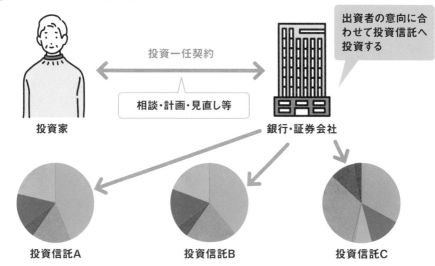

出資者の意向に合わせて投資信託へ投資する

投資一任契約

相談・計画・見直し等

投資家

銀行・証券会社

投資信託A　　　投資信託B　　　投資信託C

▶ ファンドラップのコストの一例

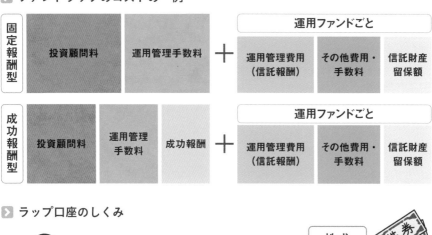

| 固定報酬型 | 投資顧問料 | 運用管理手数料 | ＋ | 運用ファンドごと | | |
| | | | | 運用管理費用（信託報酬） | その他費用・手数料 | 信託財産留保額 |

| 成功報酬型 | 投資顧問料 | 運用管理手数料 | 成功報酬 | ＋ | 運用ファンドごと | | |
| | | | | | 運用管理費用（信託報酬） | その他費用・手数料 | 信託財産留保額 |

▶ ラップ口座のしくみ

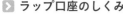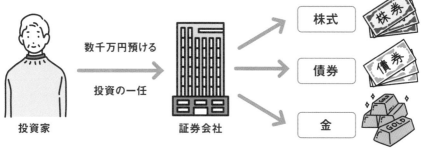

投資家

数千万円預ける

投資の一任

証券会社

株式　株券

債券　債券

金　GOLD

投資対象はさまざま

Chapter9
07

金融商品ではない？「暗号資産（仮想通貨）」

2009年に世界で初めて発行された暗号資産がビットコインです。日に日に暗号資産の種類は増加しており、今や9,000種類以上あるともいわれています。今後は暗号資産として名称が認知されていくことになりそうです。

仮想通貨は暗号資産という呼び名に統一された

暗号資産とは、私たちがふだん利用するお金（法定通貨）とは異なり、インターネット上でやり取りされる電子データのことを指します。中央銀行などの公的機関では管理されておらず、インターネット上などで直接売買します。種類は9,000以上もあるといわれています。以前は仮想通貨と呼ばれていましたが、G20などの国際会議では現在、暗号資産という呼び名が主流です。日本では金融商品として認められていませんでしたが、2020年5月1日から施行された改正金融商品法により、金融商品の仲間入りをすること（法律の規制対象）になりました。

普及がより期待されつつも、資産形成には向いていない!?

暗号資産は、株式と異なり、わかりやすい投資指標があるわけでもなく、金のような実物があるわけでもありません。発行量には上限があるため、金と同じくインフレに強いとされます。ただし、これまで価格変動は激しく、投資の際はテクニカル分析を主軸に、中長期ではなく短期売買が中心です。資産形成には向かないかもしれません。

しかし、投資以外の側面ではインターネット経由での送金が簡単に行え、手数料も安く、買い物の際の決済もクレジットカードに比べてコストが安く済みます。国内での利用はまだ限られていますが、これらの利点は国際送金で特に活きてきます。

なお、危機時には暗号資産は強みを発揮する可能性があります。コロナ禍に伴う世界情勢不安は暗号資産の価格上昇要因となりました。インフレヘッジとして購入されたという分析もあります。価格の変動要因は今後も注意深く見ていく必要があります。

暗号資産
仮想通貨の法令上の呼び方。2019年5月に成立した資金決済法と金融商品取引法の改正に基づき、仮想通貨から暗号資産へと名称が改められた。

G20
主要国首脳会議G7に参加する7カ国に、EU、中国やロシアなど主要新興国を合わせた20カ国・地域で構成される、20カ国財務相・中央銀行総裁会議。

テクニカル分析
過去の値動きをチャートで示すことで、そこから傾向をつかみ、今後どのような動きになりそうかを想定する分析。現在では、さまざまなテクニカル指標も編み出されており、分析しやすくなっている。

▶ 暗号資産と法定通貨の違い

法定通貨

国（政府）や中央銀行が管理・発行

発行数の限度額・枠なし

暗号資産

国（政府）や中央銀行は介在しない

発行数の限度額・枠があり、インターネット上で当事者間で取引が完結する

▶ 暗号資産と電子マネーの違い

電子マネー

- 楽天 Edy
- Suica
- WAON
- PASMO
など

法定通貨（円）をデジタル化し、紙幣・貨幣を使わずに決済するためのしくみ

暗号資産

- ビットコイン
- イーサリアム
- リップル
- ライトコイン
など

暗号資産そのものを独自のお金（デジタル通貨）として使うことができる

 ONE POINT

ビットコインは世界初の暗号資産

暗号資産の中で最も有名なものはビットコインでしょう。2009年に世界で初めて発行され、2010年にはビットコインセンターという取引所も設立されました。世界中で最も普及している暗号資産ですが、取引の約6割は日本人投資家によるものと考えられています。

Chapter9
08

証券会社などが行う金融仲介業務「シャドーバンキング」

シャドーバンキングとは、証券会社などが行う金融仲介業務のことです。近年、中国ではシャドーバンキングによる取引規模が急激に大きくなっており、大きな問題へと発展する可能性もあります。

中国の取引規模が急激に拡大している

シャドーバンキングとは、通常の銀行ではなく、証券会社やヘッジファンド等が行う金融仲介業務を指します。銀行などに比べると規制も緩いため、実態はあまり把握されていません。多額の資金を集めてレバレッジをかけた運用ができることや、情報開示がなされないことが問題視されています。

実はサブプライム・ローン問題が発生する前の2000年代後半から、欧米の大手金融機関がシャドーバンキングを活用し、多額の資金調達を行っていました。これが世界金融危機の一因となったともいわれています。

2010年代になると、中国の金融システムの問題としてシャドーバンキングが取り上げられるようになります。中国では、信託会社などが組成した人民元建ての理財商品が銀行の窓口で販売されています。地方政府傘下の投資会社は、これら理財商品をもとに年10％を超えるような高利回りで巨額の資金を集め、銀行からの融資を受けにくい不動産会社やインフラ会社、建設会社などに投融資を行っていました。そして融資を受けた会社が都市開発などを進めてきたのです。

中国ではその取引規模が近年急激に大きくなっています。しかし、昨今のコロナ禍などで、中国の地方政府では隠れ債務が膨らんでいるという指摘もあり、融資が返済できない（不良債権化する）ケースが多発する恐れがあるといわれています。

そうなるとシャドーバンキングにお金を貸していた投資家の損失が多大なものとなり、中国の金融システム自体を大きく揺るがすような問題となるでしょう。

サブプライム・ローン
低所得者向けの住宅ローン。審査が緩いものの、金利は高い。住宅ローンを証券化して金融機関等で販売していたものが焦げ付き、世界金融危機の引き金の一因となったといわれる。

理財商品
中国国内で個人投資家向けに販売される高利回りな資産運用商品。特定の商品を指すわけではなく、債券や貸出債権を小口化したものが該当する。「理財」は中国語で「資産運用」を意味する。

地方政府
中国の地方行政区分は4つの層からなる。最上層を第一級行政区画と呼び、23の省、5つの自治区、4つの直轄市、2つの特別行政区に分割されている。

不良債権
企業の経営破綻や経営困難に伴い、融資した資金の回収が著しく困難、または回収不能な債権のこと。

▶ シャドーバンキングの特徴

多額の資金にレバレッジをかけて取引している	規制が緩く情報開示されていない

実態がよくわからない

▶ 理財商品を通じた中国の開発資金の流れ

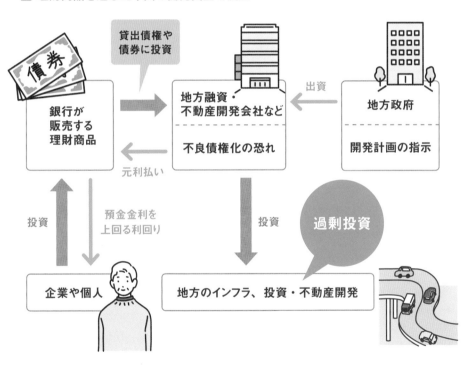

貸出債権や債券に投資

債券

銀行が販売する理財商品

地方融資・不動産開発会社など

不良債権化の恐れ

出資

地方政府

開発計画の指示

元利払い

投資

預金金利を上回る利回り

投資

過剰投資

企業や個人

地方のインフラ、投資・不動産開発

中国ではシャドーバンキングによる取引規模が急激に大きくなっており、米国で起こったサブプライム・ローンのような問題に発展する恐れがあると指摘されています。

Chapter9

09

クオンツ運用手法を利用した「クオンツファンド」

クオンツ運用とは、金融工学に基づいて大量のデータを分析し、決められたプログラムに従って資産を運用するものです。データをもとに機械的に処理、運用を行うことで高いパフォーマンスを上げるケースも出てきています。

高度な金融工学が利用される

クオンツとは、高度な金融工学を用い、過去の市場データや企業業績などあらゆるデータを集め、数値化できるデータをもとにマーケット動向などを分析、予測する業務です。そして決められたプログラムに従い、投資を行います。これがクオンツ運用で、この手法を利用して運用するファンドのことをクオンツファンドと呼んでいます。

クオンツ運用は短期売買に強い

テクニカル分析を用いる短期売買の場合、人間のように感情が入ると売買の機会を逃す可能性がありますが、クオンツ運用ではAIにより機械的に売買を行うため利益獲得機会を見逃しません。人間では太刀打ちできない秒以下のスピードで瞬時にトレードを行い、利益を上げるのです。そのため、短期売買ではクオンツ運用に軍配が上がります。

しかし、クオンツ運用はあくまで過去の分析データをもとに運用を行うため、前例のない突発的な出来事が生じたり、市場環境が変化すると対応できない可能性があります。これまでも、サブプライム・ローン問題のような誰もが予測しなかった問題が発生すると、クオンツファンドでは多額の損失を出していました。

また、ボラティリティが大きい相場ではクオンツファンドは苦戦している模様です。AIに任せて運用することで多くのファンドでは同じような収益しか得られなくなっていく可能性もあります。こう見るとAIも万能ではなく、有事の際には人間のほうが運用のパフォーマンスを上げられる可能性がありそうです。

クオンツ
quantsとはquantitative analysts（数学・統計的手法を用いる金融アナリスト）を指す業界用語。

ボラティリティ
P.159参照。

パフォーマンス
投資における運用成果や運用実績のこと。投資信託などでは、過去のパフォーマンスにより評価されることも多く、ほかのファンドと比較されることも多い。ただし、将来の成績を判断できるものではない。

▶ クオンツ運用とは

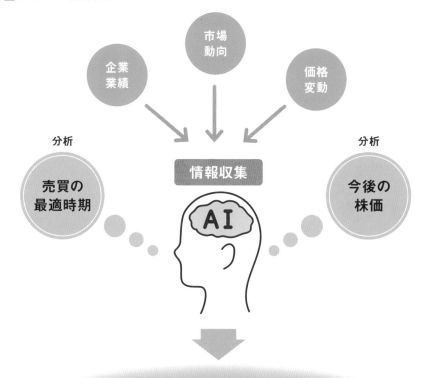

決められたプログラムに従って投資を行う

▶ クオンツファンドの例

● **日興クオンツ・アクティブ・ジャパン**
　主としてTOPIX（東証株価指数）を構成する上場株式に投資を行い、TOPIXの動きを上回る投資成果を目指して運用を行う。日興アセットマネジメント社が独自に開発したクオンツモデル、ファミリーファンド方式で運用を行っている。2月決算。

● **朝日ライフ クオンツ 日本株オープン**
　TOPIXとの連動性を重視しつつ長期的にこれを上回る収益の確保を目的として運用。独自開発のクオンツモデルを活用し、業種分散などに配慮しながら銘柄を選定。ファミリーファンド方式で運用を行っている。6月決算。

出典：各社ホームページ

金融業界とIT業界の融合が進んでいる

Apple や Amazon など
大手IT企業の金融参入が続く

ITが金融と融合するケースが多発しています。2023年4月にAppleが始めた新しい預金サービス「Apple Card Savings」。これは、Appleのクレジットカード「Apple Card」の利用者を対象としたものであり、アカウントに紐付けされた銀行口座やApple Cashの残高から入金や送金が無料でできるものです。

預金金利は年4.15%。米国在住者向けのサービスと限定されてはいるものの、顧客の囲い込みとして大きな効果を持つことでしょう。

また、Amazonもさまざまな金融サービスを行っています。Amazonに出品している法人向けの融資サービス「Amazonレンディング」は、オンライン手続きによって最短5営業日で融資が完了し、最大5,000万円まで融資可能です。銀行から融資を受けるよりも遥かに手軽なので利用者が増加しています。決済サービス「Amazon Pay」も2007年（日本では2015年）から提供しています。

IT企業は金融業界の
地位を奪い去るのか

大手IT企業は銀行よりも多くのデータを収集し、蓄積しています。それを背景に、今より利便性の高い金融サービスを速やかに提供できれば、将来は銀行の最大の競争相手となるかもしれません。

一方の金融機関も生き残りのためにIT化は避けて通れないと考えています。蓄積された金融ノウハウや信用力は独自の強みであり、IT企業の力を借りてサービス向上や商圏拡大につなげたい思惑です。

金融業界のシステムは、対策をしなければ2025年を境に寿命を迎えるといわれています。金融DXが急務の今、IT企業の力なくして金融業界の発展は難しいでしょう。

IT企業と金融業界の今後の動向に注目です。

第 **10** 章

変わる金融の近未来

金融業界が構造不況から抜け出すため、経営の合理化や情報化への対応など時代に合わせた変化が求められています。本章では、金融が今未来に向かってどのように変化しているのか、また今後どのように変化していく必要があるのかについて解説します。

店舗を削減し、インターネットで完結するサービスが主軸になる

構造不況といわれ続ける金融業界、今後どうなる？

金融業界は景気循環に左右される一時的なものよりも、むしろ産業構造、需要構造など、経済環境の変化に適応できていない側面が厳しい収益状況を生み出しているといわれます。生き残りのために何が必要なのでしょうか。

お金を貸して稼ぐことができなくなっている

これまで、銀行は預金で資金を調達し、そのお金を融資で貸すことで利益を稼いできました。しかしながら、日本全体の金利が低下し、大きな収益とはならない状況が続いています。

そもそもお金を借りたいという需要も停滞気味です。以前に比べて企業でも**有利子負債**を拡大させることに慎重となるケースが見られるようになりました。むしろ**無借金経営**を行う企業が増えているぐらいです。企業は長期にわたり生産拠点を海外に移転してきたので、国内資金需要も低下しました。個人も若年世代ほど消費を控える傾向にあり、お金を貸して稼ぐモデルがうまくいかなくなっています。

さらに、若年世代は銀行や証券会社等の店舗に行かず、スマートフォンなどで手続きを済ませる傾向にあり、店舗で大々的に営業するスタイルも通用しなくなってきています。

証券会社では、資金に余裕のある中小企業が減っており、積極的に資産運用を行いたいといった大口顧客が減っていることも収益悪化の理由の1つです。こうした時代の流れに追いついていないのが金融業界の旧来のビジネスモデルなのです。

環境変化に伴い、金融業界全体で時代に合ったビジネスモデルの転換を余儀なくされてきています。今後は、人員や店舗を削減し、必要なとき以外はインターネットで完結するサービスがますます増加することでしょう。基盤強化、コスト削減のための経営統合や合併も視野に入ります。そしてコンサルティングなど、人間にしかできないサービスの提供を打ち出し、付加価値を付けていく流れが定着するのではないでしょうか。

有利子負債
企業が返済する必要のある資金のうち、利子を付けて返さなければいけないもの。銀行などの金融機関から調達した短期借入金、長期借入金のほか、社債などの債券での調達も有利子負債に該当する。

無借金経営
銀行などの金融機関からの借り入れや社債などによる資金調達に一切頼らず、自己資金とそれまで稼いできた利益（内部留保）で経営を行う手法。

▶ 金融業界を苦しめる要因

無借金経営の増加
融資を受ける企業が減り、利子による収益が上げられない

金利の低下
低金利が続き、利ザヤで収益を上げられない

国内資金需要の低下
企業拠点が海外に移ったことで給与支払などの銀行利用が減少した

店舗利用の減少
若い人ほど銀行窓口を利用しないため、店舗利用者が減少

大口顧客の減少
資金に余裕のある企業が減り、資産運用を行う顧客が減少

▶ 3大メガバンクも店舗の構造改革が進む

三菱UFJ フィナンシャル・グループ	三井住友 フィナンシャルグループ	みずほ フィナンシャルグループ
令和5年度末までに国内515店（平成29年度末）を4割削減	令和4年度までに国内店舗の約7割（約300店）を個人コンサルティング特化の軽量店舗に転換	令和6年度までに国内約500店（平成29年度末）を約130店削除
店舗によっては令和5年度末までに対面窓口を廃止		首都圏店舗を中心に、個人向けと法人向けに機能別再編

出典：各社の説明資料をもとに作成

▶ 統合・合併することで経費を削減できる

店舗ごとに人件費やシステム維持費などがかかる

合併

地方銀行

地方銀行

合併・統合すれば経費が減らせる

再編と統合で変わる金融業界の勢力地図

かつて13行あった都銀は、4大銀行へと集約されています。現在では地方銀行はじめ、各金融機関の再編、統合が進んでいますが、背後には政府の後押しもあります。

都市銀行は4大銀行へ集約された

1970年代から80年代に13行あった都市銀行は、2006年までに4大銀行（みずほ銀行、三井住友銀行、三菱UFJ銀行、りそな銀行）へと集約されています。一方で、地方銀行をはじめ、ほかの金融機関の再編や統合は現在進行中です。

2021年1月に北越銀行が第四銀行を**吸収合併**する形で第四北越銀行になり、2021年5月には、三重銀行と第三銀行が合併し三十三銀行になりました。

再編、統合はこれからも進む

2019年6月に開催された政府の「**未来投資会議**（第28回）」での報告によると、地域銀行は貸出利ザヤが低下し続けており、経営が悪化しています。規模が小さい銀行ほど貸出残高に対する営業経費の割合が高く、経営統合による経費削減余地は大きいと指摘されています（右ページグラフ参照）。

政府としては、地方銀行が地域経済を支える役割は認めつつも、成長戦略の一環として、経営統合により持続可能性を図りたい思惑があります。特に規模が小さい銀行には、再編を含めた経営立て直しを促す措置が取られる可能性は高いでしょう。

2019年4月には、金融庁が地域金融機関に財務健全性の確保を求める「**早期警戒制度**」の改正案を公表、6月に見直しがなされました。収益悪化が続くと見られる地方銀行には、経営陣の交代や業務改善命令も視野に入れることになります。本業で赤字が続いた場合や、**自己資本比率**が4%を下回るようなことになれば、立ち入り検査や行政処分などの厳しい対応が見込まれます。政府の後押しにより、今後も地方銀行は大きな再編が進むでしょう。

吸収合併
片方の法人が消滅し、もう片方の法人が、消滅する法人の権利義務を一切承継する合併方法。両方の法人が消滅し、その権利義務の一切を新しく設立する法人が承継する形態を新設合併という。

未来投資会議
将来の経済成長のため、官民が連携して投資を進める会議。内閣総理大臣を議長とする。

早期警戒制度
自己資本比率に表されない収益性や流動性など、銀行経営の劣化をモニタリングするための監督体制。自己資本比率による是正のほかに、収益性改善、安定性改善などの観点からも改善を促すことになる。

自己資本比率
P.94参照。

▶ 地方銀行をめぐる新しい動き

2022年	4月	青森銀行とみちのく銀行が経営統合しプロクレアHDへ
	10月	愛知銀行と中京銀行が合併し、あいちFGへ
2023年	1月	新生銀行がSBIグループと統合し、SBI新生銀行へ
	6月	八十二銀行と長野銀行が合併。長野銀行が完全子会社化

今後はSBIグループを軸とした地域連合ができる可能性も大いに考えられる。

基盤強化やコスト削減のために、経営統合や合併が進んでいます。

▶ 地域銀行の貸出利ザヤの減少

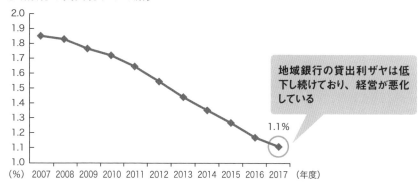

地域銀行の貸出利ザヤは低下し続けており、経営が悪化している

1.1%

▶ 地域銀行の営業経費と貸出残高

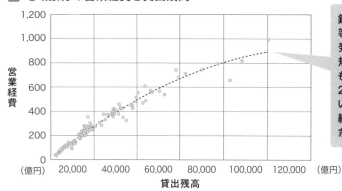

銀行はシステム費用等の多額の固定費が発生するが、貸出の規模が2倍になっても、システム費用が2倍かかるわけではない。このため、経営統合による経費削減余地が大きい

（注）図は、地方銀行・第二地方銀行・埼玉りそな銀行についてのもの
出典：http://www.kantei.go.jp/jp/singi/keizaisaisei/miraitoshikaigi/dai28/siryou1.pdf

Chapter10
03

金融機関の対面サービスがなくなる日も近い？

金融業界ではインターネットバンキングの普及が進み、店舗に足を運ぶ人が減っています。窓口での対面でのやり取りは今後さらに減っていくことになるでしょう。一方で対面ならではの強みは残っています。

◉ ネットが主軸であるものの、対面も必要

メガバンクをはじめ、金融業界では業務効率化の動きが進んでいます。これは、金利低下による減益が主な要因なものの、人びとの行動が変わってきていることも要因です。窓口で行っていた手続きをインターネットで済ませられるようになり、支店への来店者数はこの10年で4割減ったといわれています。そのため店舗の統廃合や**配置転換**が進んでいるのです。

配置転換
組織内において仕事の場所や内容を変えること。

今後さらに進むと見られるのは、簡易型の店舗や窓口業務をデジタル化した無人店の設置です。振込や公共料金の支払いなどはすべてATMのみで行う店舗が増えるでしょう。

しかし、金融の仕事がすべてオンラインで完結するわけではありません。**コンサルティング**が必要な場面ではむしろ対面が望まれます。例えば、資産運用の相談などは、話をしながら金融商品を選んでいくことで契約に結び付きやすくなります。

コンサルティング
専門家の立場から、解決策を提示し支援を行うこと。

顧客の誰もが金融や投資の豊富な知識を持ち、ITを苦もなく使いこなせるわけではありません。高齢者や弱者に配慮する必要もあります。適合性の原則に基づき、金融商品の特徴やリスクのわかりやすい説明も必要です。振り込め詐欺は職員により防がれている場面もあります。合理化だけでは、特に地方では地域密着の強みを失い、競争力をなくす可能性もあります。

すでに証券会社ではインターネットとリアル店舗で区分けされ、共存共栄が進んでいます。対面はむしろ顧客にとって付加価値なのです。金融のしくみが多様化し、希望に応じて必要なサービスが自由に選べるようになれば、顧客にとっては喜ばしい時代になるかもしれません。

▶ 店舗の統廃合とデジタル化が進む

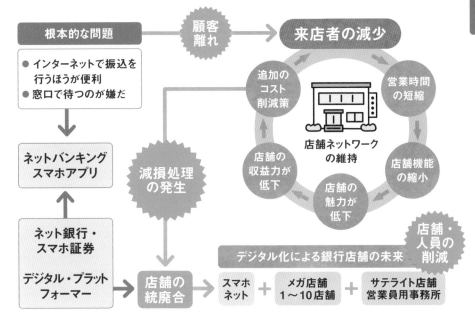

▶ 対面営業の強み

対面での
コミュニケーション
の強さ

お客様にとっても
安心感がある

リアルタイムで
お客様のニーズに
対応できる

ITが苦手な
キーマンへの
アプローチに有効

インターネットが主軸となるものの、対面は決してなくなることはないでしょう。それはこれら対面の強みがあるからです。

Chapter10 04

新しい個人送金のしくみ、 「ことら」とは？

金融機関も進化を続けています。2022年10月から、メガバンクを中心に「ことら送金」がスタート。携帯電話番号だけで10万円以下の小口送金が簡単にできるサービスです。今後利用できる金融機関の拡大が見込まれます。

🔹 利用している金融機関のアプリから簡単に送金できる

「ことら送金」とは、金融機関のアプリをもとに、10万円以下の小口送金が簡単にできる新しいスタイルの送金サービスです。

送金したい人の携帯電話番号がわかっていれば、金融機関のアプリから送金できます。また、**送金手数料も少額**で、三井住友銀行などでは送金手数料を無料にしています。

ただし、受け取り側が利用する金融機関のアプリで携帯電話番号を登録していることが前提となります。もちろん、これまでの送金同様、銀行の口座番号をもとに送金をすることも可能です。

🔹 振り込み手数料が抑えられるのが最大のメリット

それでは、どのような場合に、ことら送金サービスをうまく利用するとよいのでしょうか。例えば、自身の別口座へ資金を移したいときに利用できます。今までは、「数万円だけ振込したい」といった場合にも手数料がかかったため、ATMまで行き入金していたという人も多いでしょう。

また、プレゼントなどを共同で購入した際の精算にも利用できます。その場で電話番号を聞き、アプリから送金すればよいのです。手数料も、積み重なれば大きな額になります。

これまでも、**LINE Pay**などで同じような送金のしくみがあったものの、LINEの友達に限定した送金サービスとなっています。ことら送金サービスは、同じ金融機関の口座でなくとも、金融機関のアプリから送金ができます。

このような利便性から、全国の銀行、信用金庫を中心に、順次利用できる金融機関が拡大するとともに、利用者も拡大する見込みです。

ことら
メガバンクが中心となり設立された、小口資金決済を行うための決済インフラ。ことら送金サービスを導入している金融機関間であれば、簡単かつ手数料を抑えて送金できる。

アプリ
ことら送金サービスは告知資金決済の利便性向上を目的としており、利用するためには普段利用する金融機関のアプリをインストールする必要がある。

送金手数料
金融機関間で資金を送金する際にかかる手数料のこと。個人送金では、インターネットを利用すれば同じ銀行の中での送金は手数料が無料となるものの、他行あての場合数百円程度の手数料がかかることになる。

▶ 従来の銀行振込と「ことら」の違い

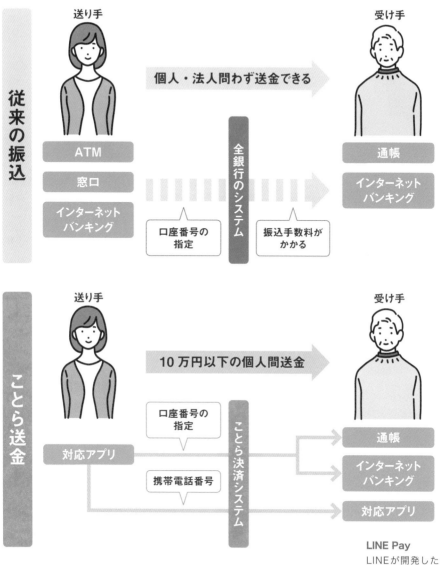

これまでは送金時に口座番号が必要で送金額に応じて手数料が発生していた。ことら送金では、金融機関のアプリをダウンロードすれば、相手の携帯電話番号のみで送金ができ、手数料も抑えられる。

LINE Pay
LINEが開発したスマホ決済サービス。買い物における支払いや、送金・割り勘、公共料金の請求書支払いなどで利用できる。全国171万カ所以上のLINE Pay導入加盟店や提携サービスで利用可能。

Chapter10 05

フィンテック（FinTech）はどこまで来たか

新聞やTVなどでフィンテックという言葉を見かけることも珍しくなくなってきました。この「フィンテック」という言葉が指すもの、そしてメリットなどについて解説していきます。

📍 金融とテクノロジーを併せた造語

フィンテックとは、ファイナンス（Finance）とテクノロジー（Technology）の2つの言葉からできた造語です。つまり、金融とテクノロジーを融合させた金融サービスを意味します。

例えば、スマートフォンを利用した決済、人工知能などの最新技術を駆使することで最適な資産運用ができるサービスなどを挙げることができます。

中でも生活に密着したわかりやすい例といえるのは、モバイル決済です。モバイル決済とは、スマートフォンやタブレットといったモバイル端末を利用した電子決済サービスです。例えば、PayPayや先述したLINE Payなどがあります。

最新テクノロジーを利用した例では、**THEO**（テオ）が面白い試みとして挙げられます。これは日本で初めて行った独自開発の**ロボアドバイザー**による投資一任サービスです。5つの質問に答えるだけで、世界中の11,000銘柄以上のETF（P.86参照）をもとに、最適な資産運用方法を提案してくれます。10万円から運用を始めることもでき、高度な金融サービスをもとに、誰でも簡単に資産運用を始めることが可能となりました。

また、銀行では、顧客の同意を得たうえで口座情報などをフィンテック企業に提供し、他サービスと銀行が提携することでより便利なサービスを展開していくオープン**API**が進んでいます。これを活用して、家計簿アプリなどで保有口座の情報を一括管理することなどが可能となりました。

こういったサービスはIT企業が先行していますが、金融機関も生き残りをかけて対応しており、便利なサービスを構築するためのしくみが次々と開発されています。

THEO
株式会社お金のデザインが提供するAIによる投資一任サービス。世界規模で分散させるグローバル分散投資を行い、業界最低水準の手数料で利用可能。2021年1月末時点で10万人が利用している。

ロボアドバイザー
最新のAI技術を利用して、インターネットやアプリを通じ、利用者が最初にいくつかの質問に答えることで、その人にあった運用を提案してくれるサービス。人間に代わりAIが行うため手数料も安い。

API
Application Programming Interfaceの略。あるアプリケーションの機能や管理しているデータをほかのアプリケーションから呼び出して利用するためのしくみ。

▶ フィンテックによりさまざまな新サービスが登場した

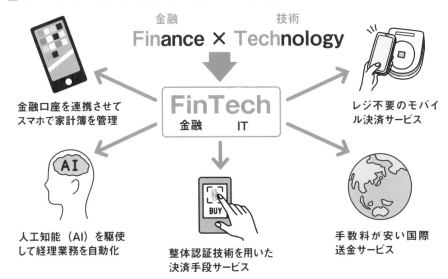

金融　　　　　　　技術
Finance × Technology

FinTech
金融　　IT

金融口座を連携させて
スマホで家計簿を管理

レジ不要のモバイ
ル決済サービス

人工知能（AI）を駆使
して経理業務を自動化

整体認証技術を用いた
決済手段サービス

手数料が安い国際
送金サービス

▶ ロボアドバイザーのしくみ

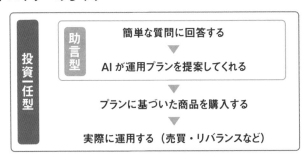

ロボアドバイザーには、AIによる運用プランを提案するところまでの助言型と、その後の運用までを行う投資一任型がある。

▶ オープンAPIのしくみ

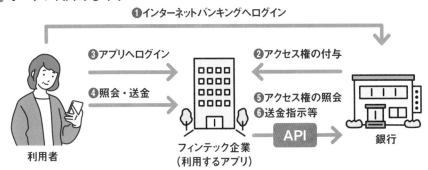

Chapter10
06
電子マネーとキャッシュレス決済は普及するのか

2025年のキャッシュレス決済市場は128兆円を突破する見込みとされています。クレジット決済市場、電子マネーを含むプリペイド決済市場も拡大すると見込まれ、日本でもキャッシュレスが進むと想定されます。

📍 キャッシュレス決済は主に4種類ある

ポイントサービス
カードなどを保有し、提携先のお店で買い物をすることでポイントが付与され、金銭価値として利用できる。

ALIPAY
中国のアリババグループが提供する世界最大のアプリ決済サービス。2019年6月現在でおよそ12億人が利用している。

キャッシュレス決済市場
『電子決済総覧 2019-2020』カード・ウェーブ／電子決済研究所／山本国際コンサルタンツによる。

プリペイド
あらかじめ料金をチャージ、入金することでモノやサービスなどの購入ができるしくみ。

QRコード
1994年に日本のデンソーウェーブ社により開発された。もともとは工場の部品管理のために作られた。

キャッシュレス決済には主に4種類あり、多くの人が利用しているのがクレジットカードや電子マネーです。ポイントが貯まれば買い物に利用できる**ポイントサービス**もキャッシュレス決済の一種です。この3種類については、なにかしら使ったことがある人がほとんどなのではないでしょうか。

もう1つ、キャッシュレス決済にはモバイル決済もあります。PayPayや**ALIPAY**に見られるように、携帯電話をお財布代わりにできることから、利用者も増加しています。

こうしたキャッシュレス決済は当たり前になってきてはいるものの、まだ導入していないお店が多くあるのも事実です。その理由として、キャッシュレス決済の必要性を感じていない、手数料が高いといったものがあります。

2025年の**キャッシュレス決済市場**は128兆円を突破すると予想されています。このうちクレジット決済市場は2019年の73兆円から最大103.8兆円へ、電子マネー含む**プリペイド**決済市場は2019年の11.7兆円から最大20.1兆円へ拡大する見込みです。中でも**QRコード**決済の伸びが大きく、9.7兆円まで拡大すると予測されています。

経済産業省調べでは、2022年段階で日本のキャッシュレス決済比率は36.0％となっており、キャッシュレス決済の比率は順調に増加傾向にあります。2022年には決済額が初の100兆円（2023年4月4日付の日経新聞の集計では111兆円）を超え、特にクレジットカード決済額が8割以上を占めています。今後も働き方改革の側面から現金管理の手間が省けたり、現金決済にかかるコストを減らせる点から移行が進むと考えられています。

▶ キャッシュレス決済の種類

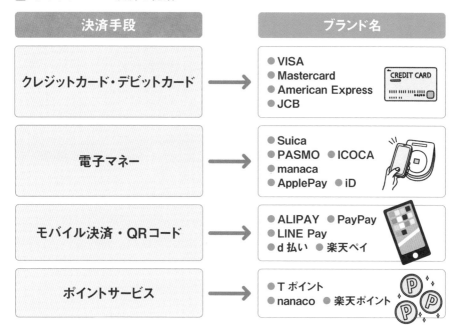

▶ キャッシュレス決済を導入しない主な理由（日本の場合）

👍 ONE POINT

キャッシュレス決済の導入は早かった日本

1951年、日本で初めての信販会社「日本信用販売株式会社」が設立され、1963年からショッピングクレジットが始まりました。そして1960年12月に設立された日本ダイナースクラブが日本で初めての多目的クレジットカードを発行しました。日本ではこのように早くからクレジットカードが普及してきました。しかし現在は先進国やアジアの中でもキャッシュレス決済の普及率が低く、政府は2025年までに普及率80%まで引き上げることを目指しています。

Chapter10
07

暗号資産は国境をなくすのか

暗号資産の大きなメリットは、送金手数料が少額で済むことです。そのため、特に海外への送金手段として普及が期待されています。ただし、国境をなくすところまではまだまだ時間がかかることでしょう。

📍 世界共通で使えるが価値が安定しない

暗号資産は現状では投機的な取引も見られ、大きく価格が変動しています。投資家は注目していても利用者が多いとはいえず、今すぐ全世界共通の通貨のようにはならないでしょう。

暗号資産の価値を支えているのはブロックチェーン（P.224参照）という技術です。利点は世界共通で使え、信頼性が高く、国に管理されず取引の秘匿性が保たれることです。一方で現時点では、価値が安定しない、決済スピードに幅がある、取引が増えると処理能力に限界があるといった弱点を持っています。

法定通貨と比較したときの長所は送金手数料が少額で済むことです。土日祝日に関係なく送金でき、海外との取引でも為替について気にする必要はありません。銀行を経由した現金の送金は手数料が高く、為替手数料もかかります。**マネーロンダリング**のチェックもあり時間がかかります。

これに対し暗号資産の大手取引所（**ビットフライヤー、コインチェック、GMOコイン、DMMビットコイン**など）の中には手数料無料というところもあります。ただし、送金は早ければ数分で済みますが、遅いと数日かかることもあり、送金の反映を早めるには上乗せ手数料が必要なこともあります。

📍 決済手段に暗号資産を使える日は来るのか

現在、暗号資産は通貨不安のある国との送受金や、インフレヘッジの資産として利用されています。価格の変動が小さくなり、使える場所が広がって、大量の取引も高速で処理できるようになれば、通貨や金融商品としての地位は高まり、普及することになるでしょう。

マネーロンダリング
犯罪で得た収益を合法的な収益と見せかける行為。架空または他人名義の金融機関口座などを利用し、口座から口座へ入金していき、資金の出所をわからなくする。資金洗浄とも呼ばれる違法行為。

ビットフライヤー
2016〜2021年内におけるビットコイン取引量はNo.1。三井住友、みずほ、三菱UFJ系のベンチャーキャピタルなどが出資し、資本金が41億円を超える国内大手の暗号資産取引所。

コインチェック
2012年設立の老舗の暗号資産取引所。

GMOコイン
2016年10月に設立された日本最大級の暗号資産取引所。

DMMビットコイン
DMM.comグループが運営する暗号資産取引所。取り扱い銘柄数は国内最多（2023年8月時点）。

▶ 暗号資産のメリット

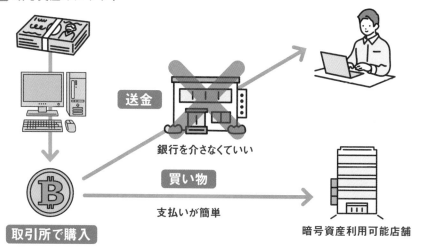

▶ 暗号資産のデメリット

価格が安定しない **決済スピードに幅がある** **決済増加時の処理能力に限界がある**

👍 ONE POINT

インフレ対策で暗号資産を持つ人が増えている

インフレになると通貨の価値が下がります。そこでインフレ対策として暗号資産に投資する人が増えています。例えばビットコインなどは発行枚数の上限が決められているためインフレになることがありません。2023年4月には1ビットコインが30,000＄を突破しました。これは世界的な利上げやインフレに対する退避ムード、金融不安といった理由から、人びとの資金が暗号資産市場に流れたからです。暗号資産の利用者は今後も増えると予想されており、動向に注目が集まっています。

Chapter10
08

暗号資産を支える
ブロックチェーン技術

ブロックチェーンとは、複数のコンピュータでデータを共有することでデータの改ざんを難しくし、透明性を高くすることで取引の安全性を高める技術です。暗号資産の取引などで利用されています。

ハッシュ関数
入力されたデータに一定の手順で計算を行うことで、入力値の長さによらず、あらかじめ決められた規則性のない固定長の出力データを得られる。

デジタル通貨
現金（紙幣や貨幣）ではなく、デジタル情報で通貨と同様の価値があるもの。電子マネーや暗号資産が該当する。

J-Coin Pay
みずほ銀行が2019年3月にスタートさせたデジタル通貨。利用可能な金融機関は全国で154にのぼる（2023年11月時点）。支払いも入出金も、送金もスマホで簡単に無料でできる点がメリットといえる。

coin
三菱UFJフィンシャルグループが発行するデジタル通貨。coinを共同運営するリクルートのWebサービスやサイト加盟店などで利用可能。

ブロックチェーンで取引の安全性を高める

　暗号資産の基盤となっている技術がブロックチェーンです。ブロックチェーンは、すべての取引履歴をつなげて記録したネットワーク上の記録簿のようなものです。データの改ざんが難しく、取引の透明性を確保し、安全な送金を可能にします。

　ブロックとは、暗号資産を誰が誰に送金したかなどを記録したデータです。このブロックを連結していったものがブロックチェーンです。ブロック間の連結には、**ハッシュ関数**と呼ばれる、ブロック内のデータから規則性のない文字列を生成する関数が利用されます。これによりデータの改ざんを難しくしているのです。

　ブロックチェーン上の個々の取引は、公開鍵と秘密鍵で暗号化されます。取引の中身を見られるのは秘密鍵を持っている受信者だけで、公開鍵は送信者の本人確認に使われます。これにより取引の安全と信頼が保たれます。

　ブロックチェーンは、インターネット上の複数のコンピュータに保存されます。誰かが取引を行うと、問題ない取引かどうかを各コンピュータが公開鍵をもとに検証します。複数の監視、検証により、不正な取引が行うことができないしくみです。取引記録自体は公開されており、透明性が高くなっています。

中央銀行がデジタル通貨を発行する可能性も

　データの改ざんがされにくいというメリットを活かし、ブロックチェーン技術は今後さまざまな分野で活用される可能性があります。メガバンクも、**デジタル通貨**である**J-Coin Pay**や**coin**などを発行して、現金と同じように安定した取引を行えるよう普及を図っています。中央銀行ではデジタル通貨（CBDC）の発行が

▶ ブロックチェーンのしくみ

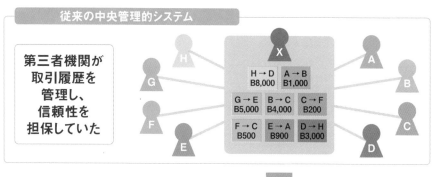

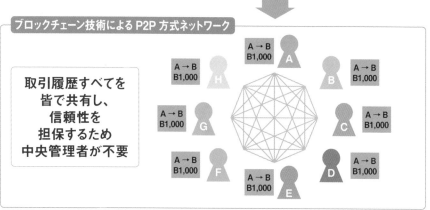

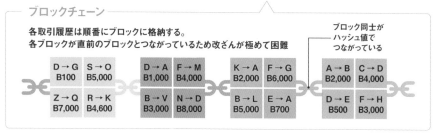

出典：経済産業省「ブロックチェーン技術を利用したサービスに関する国内外動向調査」

議論されています。また、デジタルデータに固有の価値を持たせ、偽造ができないように所有証明書を付けた非代替性トークン「NFT」も実用化が進んでいます。高級ブランド品やアート作品の真贋証明などに活用されるなど、多方面に技術の展開が期待されています。

CBDC
各国の中央銀行が発行するデジタル通貨。①デジタル化されている、②法定通貨である、③中央銀行の債務として発行される、これらを満たすもの。通貨の価値は国の経済状況によって決まる。

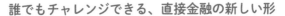

誰でもチャレンジできる、直接金融の新しい形

クラウドファンディングは金融構造を変えられるか

今や誰でも資金調達を行うことができるようになってきました。その典型例が「クラウドファンディング」です。コロナ禍においても、クラウドファンディングでさまざまな資金を募る人が多く見られました。

共感した人から支援を受けることができる

クラウドファンディングは、群衆（crowd）と資金調達（funding）を組み合わせた言葉で、インターネットを介して多くの人から資金を調達するしくみです。数十万円や数百万円といった少額でも資金調達が気軽にできます。

クラウドファンディングのよい点は、夢や希望を持つ人がそれを実現する直接の手段になること。金融機関の融資などが仮に難しくても、クラウドファンディングにより出資者を探すことができれば、新しいことにチャレンジが可能です。

クラウドファンディングは2000年代の米国で始まりました。日本では、2011年に「READYFOR」や「CAMPFIRE」などがスタートし、市場は拡大しています。

現在クラウドファンディングには、支援してくれた人にモノやサービスを提供する「購入型」、寄付を行い支援する「寄付型」、お金を貸す「融資型」、支援してくれた人に株式を発行する「株式型」、出資を募り金銭的なリターンやモノ、サービスなどを提供する「ファンド型」、支援したい地域に寄付を行い、返礼品を受け取る「ふるさと納税型」の6形態があります。

2023年には、国立科学博物館が世界に誇れる標本・資料の収集・保管活動の継続を目指し、1億円を目標にクラウドファンディングを行いました。実際には約9億円を集めるなど、クラウドファンディングの活用に注目が集まりました。

このように、やり方次第では、金融機関の融資よりも早く資金調達できるうえ、社会的に意義のあるプロジェクトほど目標を達成しやすいのがクラウドファンディングです。従来にない金融の形として社会に認知されつつあります。

READYFOR
誰もがやりたいことを実現できる世の中を作るというビジョンをもとにサービス提供を行っている。これまでのプロジェクトは累計14万件を超える（2020年時点）。

CAMPFIRE
国内最大の支援総額、支援者数、プロジェクト成立件数を誇るクラウドファンディング。主に購入型のクラウドファンディングを取り扱う。

ふるさと納税
ふるさと納税を利用して寄付を行うと、寄付金控除による税の控除が受けられるため、実質自己負担額が2000円で返礼品を受け取れる。

▶ クラウドファンディングの形態

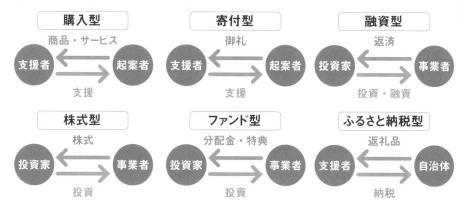

▶ クラウドファンディングのしくみの例

● 購入型クラウドファンディング

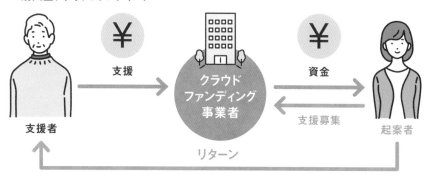

プロジェクトに対し支援者がお金を出す。そのリターンとしてモノやサービスを受け取る。

● 寄付型クラウドファンディング

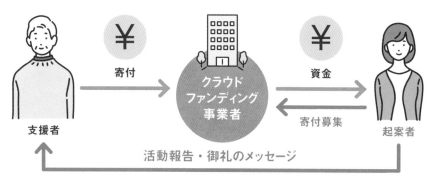

プロジェクトに対し寄付を行う。リターンは発生しないが、プロジェクトによっては活動報告やお礼のメッセージを受け取ることができる。

2030年の金融市場はどうなっている？

人口減少に伴う損失をAI活用で補填する

　人口減少が続く日本では、2030年には2010年よりも人口が800万人減少し、3分の1近くが65歳以上の高齢者となる見込みです。こうした人口構造の変化によって、例えば、お金を借りる人・企業が減ることにより、金融機関の収益がさらに落ち込む可能性があります。日本全体で見れば、GDPへの影響もじわじわと出てくるでしょう。

　GDPは、労働、資本、技術革新（生産性の向上）が大きな要素です。このうち労働や資本が縮小するとしたら、GDPを維持し、成長させるためには生産性を向上するしかありません。そこで金融業界では、窓口のスリム化、バックオフィスの業務効率化にAIやRPAを活用しコスト削減を図っています。ChatGPT（OpenAIが開発した自然言語処理モデル）を活用した文書・書類作成なども行われています。

　今後もIT・Web企業との提携がさらに強まるでしょう。

金融大国であり続けるために期待される国の環境整備

　結局のところ、金融市場が活性化するためには、ヒト、モノ、カネ、情報が必要です。日本が今後も金融大国であり続けるためには、海外から人材を呼び込むことや、インフラを整備することが求められます。

　人材の誘致には税制の問題も忘れてはなりません。香港やシンガポールなどは、金融所得が非課税といったメリットを生かして世界中から優秀な人材を集めることで、金融都市としての地位を高めてきました。日本でも現在、税制改正が検討されていますが、東京が国際金融センターとしての地位を取り戻すには、国としての展望と環境整備が必要です。

　日本の金融の未来は明るいとはいえない状況が続いています。しかし現在推進されている「東京国際金融センター」の構築など、金融機能の整備・拡大を図るプロジェクトが功を奏せば、2030年には魅力ある金融市場が構築できているでしょう。

おわりに

　振り返れば2020年、新型コロナウイルスという近年まれに見る感染症により、世界経済を震撼させる出来事が生じた中で、本書の初版を書き上げました。コロナ禍は、飲食業や宿泊業などに大きな影響を与えました。資金繰りに窮する業者を救うために、日本政策金融公庫をはじめ、さまざまな融資やセーフティネットが提供されました。こうした金融のしくみがあってこそ、経済は成り立ち、何かあった場合にも対応できます。困難を乗り切るための処方箋となります。まさに、金融が果たす使命をまじまじと見ることができた年です。

　金融も進化しており、ビットコインなどの暗号資産、AIによる新しい資産運用、資金管理など時代を経るにつれてさまざまなアイデア、サービスが提供されるようになってきました。こうしたサービスを知り、時代に追いついて欲しい。そんな思いも込めて、本書を執筆しました。

　人口減少が叫ばれる中、日本が生き残る選択肢の1つとして金融による発展が挙げられます。アジアNo.1の金融セクターを維持し、海外の人材も取り込み発展していくことは可能性として期待してよいのではないでしょうか。2027年には東京駅周辺に巨大な金融センターが構築される予定です。東京がロンドンやニューヨークに負けないような金融都市となっていけるかどうか。その頃には、さらに金融業界は面白くなっているような気もします。

　最後に、本書の編集を行っていただいた技術評論社の和田氏とヴュー企画の岡田氏にはいろいろとお世話になりました。『図解即戦力 金融業界のしくみとビジネスがこれ一冊でしっかりわかる教科書』(技術評論社)に続き、バージョンアップした改訂2版を発刊できたことに感謝の意を表します。

2023年12月

著者しるす

金融を正しく理解するために知っておくべき用語

押さえておきたい 金融の専門用語

GDP

Gross Domestic Productの略。一定期間内に国内で生産された付加価値の総額。国内総生産と呼び、単純合計した名目GDPと、物価変動を考慮した実質GDPがある（P.68参照）。

PER

株価収益率。株価が1株あたり収益率（EPS）の何倍かを示す。株価が割安か割高かを判断するための指標（P.72参照）。

暗号資産（仮想通貨）

インターネット上でやり取りされる通貨の機能を持つ電子データのこと（P.202参照）。

インターバンク市場

銀行などの金融機関のみが参加できる市場のこと。銀行間取引市場とも呼ばれる（P.48参照）。

オプション取引

将来の特定の日に、現時点で取り決めた価格で商品を売買する「権利」を取引する。買い手は権利を行使するか選べる（P.194参照）。

株式

会社が資金調達のために発行する有価証券。株式を発行する会社を株式会社、株式を買った人を株主と呼ぶ（P.128参照）。

為替

振込や送金、手形や小切手を使い、現金を移動させずに代金の支払いなどの決済を行うこと。内国為替（国内の金融機関を通して日本円を送金すること）と外国為替（外国に米ドルなどの外貨を送金すること）がある。外国為替は外国為替市場で取引される（P.154参照）。

間接金融

資金を供給する側と必要とする側のあいだに銀行などの金融機関が入り、間接的に融資されるしくみ（P.20参照）。

基軸通貨

世界の通貨の中で、貿易や金融取引に利用され中心的な地位を占める通貨。現在は米ドルが該当する（P.152参照）。

キャッシュフロー

お金の流れ、収入と支出のこと。会計用語としては、企業の一定期間の営業・投

資・財務の活動での収入と支出を指す。金融商品においては、売買での収支や利子など商品が生むお金の流れを指す。

金融政策
各国・地域の中央銀行が物価の安定と経済成長を図るために、通貨量や金利を調整する政策（P.86参照）。

金融派生商品
株式や債券、通貨、貴金属など伝統的な資産から派生した金融商品。デリバティブとも呼ぶ。元の商品を原資産という（P.190参照）。

金融ビッグバン
1996年から2001年頃に行われた国内の金融制度改革。これにより日本の金融自由化が進んだ（P.88参照）。

金利
お金を貸した人に借りた人が払う手数料。元本に対する割合で表示され、単利と複利、固定金利と変動金利がある（P.32参照）。

クオンツ
数学・統計的手法を用いて市場や金融商品を分析すること。分析を活用した投資をクオンツ運用、ファンドをクオンツファンドと呼ぶ（P.206参照）。

景気循環
経済が好況と不況を繰り返しながら上昇する過程（P.60参照）。

経済指標
各国の公的機関などが公表する経済状況を確認する指標。GDP、経済成長率、景気動向指数、日銀短観などが該当する（P.70参照）。

経済主体
経済活動を行う単位のこと。マクロ経済学では「家計」「企業」「政府」を指す（P.18参照）。

経済成長率
国の経済がどの程度拡大したかを示す指標。GDPの伸び率で判断する。名目GDPに基づく名目経済成長率と、実質GDPに基づく実質経済成長率がある（P.70参照）。

コモディティ
株式などの金融商品に対し、実体のある商品を指す。エネルギー・貴金属・非鉄金属・農産物が該当する。

債券
国や地方公共団体、企業が発行する有価証券。期限には額面金額が払い戻され、それまで定期的に利子が得られる（P.170参照）。

先物取引
ある商品を現時点で決めた価格で将来売買する約束をする取引。リスクヘッジや差益を目的とする（P.192参照）。

市場

財やサービスが取引されて価格が決まる場。株式市場、外国為替市場など、広い意味で用いられる。証券取引所のような特定の場所に限らず取引全体を指す。

シャドーバンキング

証券会社やヘッジファンドが行う金融仲介業務。影の銀行とも呼ばれる。多額の資金を集めてレバレッジをかけられることなどが問題視されている（P.204参照）。

証券取引所

株式や債券などの売買取引を行うための取引所（P.42参照）。

信託

他人（受託者）に財産を契約により託し、その者に財産の管理・処分をさせること。

信用格付

国債や社債などの発行体の返済能力を評価したもの。格付機関は民間企業で国内外にある（P.184参照）。

信用創造

銀行の預金と貸付のしくみにより、社会全体に供給される通貨量が増加するしくみ。通貨量が増加することで経済活動が円滑になる（P.102参照）。

信用取引

お金や株式を証券会社から借りて売買する取引のこと。手元の資金以上の取引ができる（P.134参照）。

スワップ取引

現在の価値が同じ、2つのキャッシュフローを交換（スワップ）する取引（P.196参照）。

中央銀行

国家や特定の地域の金融システムの中核となる機関。各国に1つ存在する。日本では日本銀行が該当する（P.26参照）。

直接金融

金融機関があいだに入らず、資金調達したい人に直接お金を融通するしくみ。株価や債券などの有価証券を媒介にする（P.20参照）。クラウドファンディングは直接金融の典型例（P.226参照）。

デフォルト

借り手が約束した利払いや元本返済を実行できなくなること。企業の破綻、政府の財政難などが原因になる。債務不履行ともいう。

店頭取引

証券取引所を介さない、証券会社等と投資家のあいだの相対取引を指す。OTC（Over The Counter transaction）取引ともいう。

投資銀行

企業向けの証券会社。日本では証券会社の一部門として投資銀行業務を行うこと

が多い。M&Aアドバイザリー業務や資金調達のアレンジを行う（P.114参照）。

投資信託
投資家から集めた資金を、運用の専門家が分散投資で運用し、利益を投資家に分配する金融商品（P.138参照）。

ノンバンク
与信業務に特化した金融機関のこと。消費者金融やクレジットカード会社、信販会社が該当する（P.118参照）。

バーゼル規制
国際金融規制とも呼ぶ。世界の金融システムを健全に保つための国際ルール（P.94参照）。

ファンド
複数の投資家から資金を募り、それを運用して利益を生むしくみ。その組織、あるいは投資信託のことも指す。

フィンテック
金融とテクノロジーを融合させた金融サービス。AIを使用した資産運用サービスやモバイル決済が該当する（P.218参照）。

ブロックチェーン
暗号資産などの取引履歴をネットワークで共有することで改ざんを難しくし、取引の安全性を高めるための技術（P.224参照）。

ヘッジ
hedgeとは「垣根」のことで、大損を避ける予防策の意味。保有資産の価格下落などの危険に備えることをリスクヘッジ、そのためにする先物取引などをヘッジ取引、物価上昇に備える資産の保有をインフレヘッジなどという。

ヘッジファンド
金融派生商品なども組み入れ、さまざまな取引手法を駆使しながら高い運用収益を目指す運用のプロ。

マクロ経済学
一国または世界全体の経済の動きを捉える学問。社会全体において国民所得や雇用、生産の決定プロセスを分析する（P.62参照）。

ミクロ経済学
家計や企業などの個々を対象に、それらがどのように行動するのか、そして市場における価格・数量がどのように決定されるのかを分析する学問（P.64参照）。

リーマン・ショック
リーマン・ブラザーズ・ホールディングスの経営破綻により2008年に起こった金融危機の総称。世界金融危機ともいう。

レバレッジ
てこの意味から、少ない資金で大きな金額の取引をすること。FXやデリバティブ取引などで用いられる。

索引

著者紹介

伊藤　亮太（いとう　りょうた）

1982年生まれ。岐阜県大垣市出身。2006年に慶應義塾大学大学院商学研究科経営学・会計学専攻を修了。在学中にCFPを取得する。その後、証券会社にて営業、経営企画、社長秘書、投資銀行業務に携わる。2007年11月に「スキラージャパン株式会社」を設立。2019年には金や株式などさまざまな資産運用を普及させる一般社団法人資産運用総合研究所を設立。現在、個人の資産設計を中心としたマネー・ライフプランの提案・策定・サポート等を行う傍ら、資産運用に関連するセミナー講師や講演を多数行う。著書に『図解 金融入門 基本と常識』（西東社）、『図解即戦力 金融業界のしくみとビジネスがこれ一冊でしっかりわかる教科書[改訂2版]』（技術評論社）、監修に『ゼロからはじめる！ お金のしくみ見るだけノート』（宝島社）など。

- ■装丁　　　　　井上新八
- ■本文デザイン　株式会社エディポック
- ■本文イラスト　こつじゆい
- ■担当　　　　　橘浩之
- ■DTP　　　　　アイル企画（平松剛・日笠榛佳・佐野航平）
- ■執筆協力　　　平林亮子
- ■編集　　　　　ヴュー企画（岡田直子・工藤望智）

図解即戦力
金融のしくみが
これ1冊でしっかりわかる教科書
［改訂2版］

2021年 1月12日　初版　　　第1刷発行
2024年 2月 2日　改訂2版　第1刷発行
2024年 4月16日　改訂2版　第2刷発行

著　者	伊藤亮太（いとうりょうた）
発行者	片岡 巌
発行所	株式会社技術評論社
	東京都新宿区市谷左内町21-13
	電話　03-3513-6150　販売促進部
	03-3513-6185　書籍編集部
印刷／製本	株式会社加藤文明社

©2024　伊藤亮太

ISBN978-4-297-13923-0 C0033　　　　　　Printed in Japan

◆ お問い合わせについて

- ・ご質問は本書に記載されている内容に関するもののみに限定させていただきます。本書の内容と関係のないご質問には一切お答えできませんので、あらかじめご了承ください。
- ・電話でのご質問は一切受け付けておりませんので、FAXまたは書面にて下記問い合わせ先までお送りください。また、ご質問の際には書名と該当ページ、返信先を明記してくださいますようお願いいたします。
- ・お送りいただいたご質問には、できる限り迅速にお答えできるよう努力いたしておりますが、お答えするまでに時間がかかる場合がございます。また、回答の期日をご指定いただいた場合でも、ご希望にお応えできるとは限りませんので、あらかじめご了承ください。
- ・ご質問の際に記載された個人情報は、ご質問への回答以外の目的には使用しません。また、回答後は速やかに破棄いたします。

◆ お問い合せ先

〒162-0846
東京都新宿区市谷左内町21-13
株式会社技術評論社　書籍編集部
「図解即戦力
金融のしくみが
これ1冊でしっかりわかる教科書
［改訂2版］」係
FAX：03-3513-6181
技術評論社ホームページ
https://book.gihyo.jp/116
またはQRコードよりアクセス